KB096263

“

책으로부터 온 품격있는 삶의 메세지

옥토끼의 서재

<서평편>

옥토끼의 서재 <서평편>

발행 2023년 11월 23일
저자 황선애 한정은 유지희 이석현 이경진 새벽달곰
펴낸이 한건희
펴낸곳 주식회사 부크크
출판사등록 2014. 07. 15(제2014-16호)
주소 서울특별시 금천구 가산디지털1로 119 A동 305호
전화 1670-8316
E-mail info@bookk.co.kr
ISBN 979-11-410-5475-5

www.bookk.co.kr

“

책으로부터 온 품격있는 삶의 메세지

옥토끼의 서재

<서평편>

황선애
한정은
유지희
이석현
이경진
새벽달곰
지음

BOOKK

차례

part 1 **황선애** 011

숨겨진 개발의 모순과 행복의 조건 013
진정한 봉사와 용기 020
위대한 가치 026
진정한 삶의 본질 032
삶은 선택이다 038
역사가 제시하는 세계관의 방향 044

part 2 **한정은** 051

베짱이처럼 사는 것도 괜찮아 053
익숙함에 편견이 생긴다 057
세련됨에 반하다 063
죽음에서 배우는 삶 069
잘하고 있는 거 맞아? 073
사랑에 빠지고 싶을 때 077

part 3 **유지희** 081

나로부터 시작된 오롯한 나의 선택 083
일반화의 오류, 그리고 비선호 089
현실과 이상, 그 가운데의 삶 096
삶과 죽음을 관통하는 사랑 101
착각과 변수의 본능 107
수치심을 외면하지 않는 인간성 113
누구나 갖고 싶은 마음 위로 열쇠 118

part 4 **이석현** 123

바틀비, 선택이 아니라 결과다! 125
나는 내가 길어 올린 문장과 교감한다! 132
마침표는 문장을 마무리할 뿐, 문단은 계속된다! 136
모성, 본능과 학습 그 사이 어딘가에… 142
효율의 노예가 되는 디스토피아, 오늘을 보여준다! 147

part 5 **이경진** 153

안 하는 편을 택하면 어떻게 될까? 155
사랑을 정의할 수 있을까? 160
인생에서 가장 중요한 건 무엇일까? 165
모성은 본능일까? 171
국군포로, 그들은 누구인가? 177
주도적인 삶이란 어떤 삶일까? 182

part 6 **새벽달곰** 189

인생의 오후지만 괜찮아 191
쓰지 않는 편을 택하겠습니다 203
책과 함께 떠나는 시간 여행 210
효도는 셀프, 자기의 일은 스스로 하자 217

에필로그 227

【서평으로 담긴 책들(공통)】

옥토끼 독서동아리에서 다뤘던 도서들		
	김혜남	허먼 멜빌
앤드류 포터	미치 앨봄	미나토 가나에

【서평으로 담긴 책들(개인)】

작가	도서명
황선애	◈ 오래된 미래(헬레나 노르베리-호지) ◈ 비노바 바베(칼린디) ◈ 마음을 다스리는 간디의 건강철학 (모한다스 K.간디) ◈ 아름다운 삶, 사랑 그리고 마무리 (헬렌 니어링) ◈ 문명의 충돌(새무얼 헌팅턴)
한정은	◈ 매디슨 카운티의 다리 (로버트 제임스 월러)
유지희	◈ 어느 작은 사건(루쉰) ◈ 메리골드 마음 세탁소(윤정은)
이석현	◈ 멋진 신세계(올더스 헉슬리)
이경진	◈ 아무도 데리러 오지 않았다(이혜민) ◈ 모든 것은 기본에서 시작한다(손웅정)

part 1

황선애

제1책

헬레나
노르베리-호지의

『오래된 미래』
라다크로부터 배우다

<숨겨진 개발의 모순과 행복의 조건>

책 제목인 '오래된 미래'라는 말은 언뜻 잘 이해가 가지 않는 말입니다. 하지만 이 책을 다 읽고 나면 그 의미는 너무나 인상 깊고 명확하게 우리 가슴속에 남을 말입니다.

책에서 말하는 의미를 먼저 간략하게 요약하면 오래된 미래란 오래된 것으로부터 미래의 이상향을 발견하는 것, 그리고 그 미래로부터 다시 현재에 유용한 생각들을 끌어내야 한다는 점과 그렇게 우리는 과거에서 미래로 그리고 다시 현재로 돌아오는 여정을 끝없이 되풀이해야 하고, 그것만이 이 세계를 '지속 가능함'으로 이끌 수 있는 대안이라는 주장하에 쓰인 말입니다.

이를 증명하기 위하여 작가는 서부 히말라야 고원의 한 마을 라다크의 개발 전후의 변화 과정을 통해 과거와 현재, 그리고 다가올 미래의 위기와 책임, 그뿐만 아니라 여러 문제점에 대한 대안적 해법을 설득력 있게 펼치고 있으며 이 책을 읽는 이로 하여금 현대화 산업개발의 숨겨진 모순과 진정한 인간 행복에 대한 척도를 다시금 생각하게 합니다.

스웨덴 언어학자인 헬레나 노르베리-호지는 라다크 토착민의 언어를 연구하기 위해 1975년 그곳에 단기 기한으로 갑니다. 하지만 그곳에서 서구사회에게서는 도저히 찾아볼 수 없는 새로운 공동체 중심의 세계관과 열악한 자연환경을 이용하는 생태학적 삶에 매료되어 16년이란 긴 세월을 그들과 함께합니다. 이 책은 그들과의 밀착적인 삶을 통해 직접 체험하고 느낀 점을 토대로 서술한 한 편의 다큐멘터리 같은 책입니다.

작은 티베트라고 불리는 라다크는 방문 당시 산업문명의 이기가 닿기 전의 삶을 살아가고 있습니다. 진흙으로 빚은 벽돌로 집을 짓고, 염소와 야크를 키우며 그들로부터 우유와 버터를 생산하고, 소규모의 농사로 직접 생산한 보리와 통밀을 주식으로 식생활을 해결해 나갑니다. 또한, 겨울에 난방을 위해 동물의 똥을 채집하여 연료로 사용하고 동물의 털을 이용한 의복을 직접 만들어 입었습니다. 열악한 환경 속에서도 풍족한 식생활은 아니지만 그렇다고 결코 부족함을 느끼지 않았고, 그뿐만 아니라 그곳에 사는 어느 누구도 가난하다는 생각을 가지지는 않았습니다. 언제나 그들은 여유로운 생활 속에 춤과 노래로 노동을 삶으로 즐기며 살아갑니다.

그들의 사고에는 한 개인보다는 공동체의 이익을 우선으로 하고 이에 따라 모든 사회 규율을 만들어 갑니다. 친밀한 공동체 의식하에 언제든 생계를 위한 노동력을 원조함이 당연시되었고 개인의 이익 다툼이나 경쟁은 어디서도 찾아보기 힘듭니다.

그러던 마을에 서구화의 바람이 불기 시작합니다. 중앙아시아 교통의 요충지인 라다크는 결국 외부에 노출됩니다. 그때까지 사실상 온전하게 존속해 온 마지막 자급 경제 사회의 하나로서 라다크는 개발이라는 과정 아래의 극적인 충돌을 맞이합니다.

인도 정부의 정책으로 라다크는 서방 세계에 개방되고 이후 라다크에 몰려온 관광객들은 쉴 새 없이 셔터를 눌러대고, 펑펑 돈을 뿌리고 다녔습니다. 이때부터 라다크 사람들은 '풍요롭고 편리한' 외부 문물에 비해 자신들의 생활 방식이 매우 낙후되었다고 느끼기 시작합니다. 이제 라다크의 중심거리는 세계 어디서나 볼 수 있는 흔한 풍경들로 채워지고 있으며, 사람들은 새로운 문물을 접하기 위해 고향을 등지고 공동체는 서서히 붕괴되어 갑니다.

라다크에 개발이 시작되고부터는 부자와 가난한 자 사이의 간격이 커지고 여자들이 자신감과 힘을 잃어버리고, 실업과 인플레이션이 나타나고 또 범죄가 극적으로 증가합니다. 다양한 심리적 경제적 압력에 의해 인구가 증가하고, 가족과 공동체가 와해되고, 자급자족 대신에 외부 세계에 대한 경제적 의존이 심화됨에 따라 사람들은 땅으로부터 유리됩니다.

실제로 개발은 일반적으로 중앙 집중화된 체제와 에너지 다소비에의 의존도를 강화하는 데 기여하고, 농촌 인구를 유혹하여 땅을 떠나 도시의 빈민가로 옮겨가게 함으로써 빈곤을 만들어 내는 결과를 초래합니다. 거대한 수송 체계, 기름값, 국제 금융 변동 같은 자신들이 통제할 수 없는 힘들에 의해 의존적으로 되어갑니다.

자본 집약적이며 에너지 집약적인 산업 영농 방법을 추구하고 수확량을 증대하기 위해 끝없이 많은 화학비료나 농약을 사용함으로써 결국 물의 오염과 토양 침식을 가져온다. 그로 인해 단일 작물 재배로

농작물의 병충해에 대한 저항력이 약화 되고, 화학 살충제는 자연 방충 체계를 망가뜨려 생태계 파괴까지 초래합니다.

즉, 라다크 문화의 체계적인 분해의 여러 양상은 경제적 의존, 문화 부정, 환경파괴를 가져옵니다. 기술적 진보와 경제성장을 통하여 생활 수준을 높인다고 하는 이 계획된 변화 과정은 득보다 실을 더 많이 초래합니다.

현대화 과정 그 자체는 엄청난 일반화입니다. 이는 지역적인 다양성과 독립성을 하나의 단일 문화와 경제체제로 대체하는 과정입니다.

라다크와 같이 자급 경제 안에서 살고 있거나 거기서 혜택을 누리는 사람에게는 불안정한 현금수입을 위해 자신의 문화와 독립성을 버린다는 것은 삶의 질의 심각한 저하를 의미합니다.

경제전문가들과 개발 전문가들이 널리 선호하는 이러한 일차적인 진보 관은 경제성장의 부정적인 영향들을 은폐하고 더욱이 그것은 지역에 기초한 자급 경제의 가치를 소멸시킵니다. 오늘날 지구상의 대다수 사람 -제삼 세계 농촌 부문의 수많은 사람-의 상황에 대한 심각한 오해를 초래하고, 개발 계획이 이 사람들에게 혜택을 주기는커녕 많은 경우에 그들의 생활 수준을 낮추는 데만 기여해 왔다는 사실을 은폐합니다.

개발은 흔히 착취, 즉 새로운 식민주의의 그럴듯한 이름일 뿐 자연 자원의 한계를 부정하고 인간의 윤리와 가치를 송두리째 잃어버릴 위험까지 몰고 갑니다.

이 책은 개발로 인한 문화와 환경파괴 문제들을 많이 거론하고 있지만, 그것에만 한정시키기는 어렵습니다.

이 책에서 보이는 많은 현상 속에는 작게는 개인의 행복 조건에 관해 기술하고 있으며, 크게는 세계의 사회 경제체제의 오점을 기술하고 있고, 그와 동시에 '세계의 사회 경제체제'가 인간의 '행복의 조건'을 어떻게 규정하는가를 보여주는 책입니다

제2책

칼린디의

명상과 혁명
『비노바 바베』

<진정한 봉사와 용기>

우리가 흔히 말하는 봉사란 어떤 의미일까요?

연말연시가 되면 인터넷이나 신문 지상 곳곳에 경쟁하듯 개재되는 것이 불우한 이웃돕기며 자원봉사 활동들입니다. 또한, 이러한 분위기를 한껏 이용하는 것도 여러 구호 단체들의 연말 프로그램 중의 하나라고 생각합니다.

하지만 우리가 이렇게 많이 행하는 기부 또는 자선이나 봉사활동들이 진정한 의미의 기부이며 봉사인지 한 번쯤 생각해 볼일이 아닐지 하고 생각해 봅니다.

우선 저의 이런 생각에 도움이 될 만한 책 일부분을 인용해 봅니다. 인도의 성자이며 거룩한 걸인으로 알려진 비노바 바베의 글 중에 이런 글이 있습니다.

“노동의 형태로 제공되는 것 이외에는 어떠한 기부도 일체 사절하기로 합니다.”

이 말은 평생 동안 평화의 도보 행진 프로젝트로 전 세계를 돌아다닐 때 많은 자원봉사자와 사회활동가들에게 한 말이라고 합니다.

돈과 기부에 의지하지 않고 인도의 사회 및 경제 개혁을 이루어 낸 그의 생각은 이러했습니다.

"돈은 사람을 오만하게 만듭니다. 하루에 30킬로미터를 걷고 나면 분명 지치고 피곤하고 배가 고플 겁니다. 그러면 당신은 끼니를 해결할 식당과 하룻밤 묵을 숙소를 찾을 테고, 다음날 다시 일어나 두 발로 걷기 시작할 테죠. 그렇게 하는 데 다른 누구의 도움도 필요 없을 겁니다. 하지만 만약 당신이 돈을 가지고 있지 않다면, 당신은 끼니와 잠자리를 제공해 줄 누군가를 간절히 찾을 수밖에 없겠지요. 당신은 겸손해지는 법, 그리고 누구도 선택하지 않고 판단하지 않고 차별하지 않고 있는 그대로 받아들이는 법을 배울 수밖에 없을 겁니다."

"돈으로 원하는 것을 얻게 되면 만나고 싶은 사람과 피하고 싶은 사람을 가리게 되지요. 만인 속에 뛰어들어 자발적으로 평화를 이루어 내고 싶다면 그렇게 좋아하는 사람과 싫어하는 사람을 구별해서는 안 됩니다."

"돈의 경제학으로부터 자유로워지십시오."
"평화를 위해서 일하고자 한다면 먼저 당신 마음에 사랑과 사람들에 대한 신뢰와 신에 대한 믿음을 가지고 가십시오."

외국인노동자들을 돕기 위해 일해보겠다는 용기만 가지고 무모하리만큼 준비 없이 여러 가지 일들을 해 가면서 절실히 느낀 점 또한 비노바 바베의 말과 다르지 않습니다.

한 푼 없이 순수한 열정으로 시작했던 첫해의 봉사 활동들에 비해 많은 기부와 지원을 받고 치러졌던 행사는 가식적인 행사가 더 많았고 또한 수많은 행사를 치러 나가는 과정속에서도 진심으로 감동하고 봉사한 사람들과 하나 된 순간들이 점차 사라져 갔음을 절실히 느낀답니다.

"진정한 봉사 정신이란! 진심으로 겸손해지는 것",
"누구도 선택하지 않고, 판단하지 않고, 차별하지 않고 있는 그대로 받아들이는 법을 배우는 것!"

이 시대의 진정한 봉사를 하려는 자와 기부자들에게 외치는 비노바 바베의 한 마디를 가슴에 새겨 봅니다.

다음으로 생각해 볼 주제는 용기입니다. 얽히고설킨 세상의 일들 속에서 무거운 마음으로 책을 보다가 문득 '용기'에 대한 글귀가 나와 적어 봅니다.

<바가바드기타>에 따르면 인간이 추구해야 할 최고의 덕목은 용기라고 합니다. 따라서 용기가 모든 교육의 근본이 되어야 하며 우리의 사회 구조와 정치 구조 역시 용기에 기초해야 한다는 것입니다. 이러한 용기를 심어주지 않는다면, 사람들은 진리를 위해서 헌신할 수 있는 역량을 키워갈 수 없고, 진리를 추구하는 일에서 굳건한 자세를 유지할 힘을 얻을 수도 없다는 것입니다.

이 구절을 읽으면서 요즈음처럼 혼란한 시대에는 이러한 용기 있는 사람이 절실히 필요하다고 생각했습니다. 하지만 여기서 진정한 용기란 무엇인지 다시 한번 짚어봐야 할 것 같습니다.

비노바 바베는 *"아무도 두려워하지 않으며 아무에게도 두려움을 주지 않는 것이 진정한 용기"*라고 했습니다. 또한 *"자기 자신을 객관적으로 볼 수 있는 능력"*이 곧 용기라고 했습니다.

*"자신을 객관적으로 볼 수 있는 사람은 다른 사람도 객관적으로 볼 수 있고 따라서 아무도 두려워하지 않은 사람은 누구도 위협하지 않는다"*고 했습니다.

여기에서 우리는 지금의 우리 행동들이 진정 용기 있는 행동들인지 다시 한번 반성해 봐야 할 것 같습니다.

제3책

모한다스 K.간디의

『마음을 다스리는 간디의 건강철학』

<위대한 가치>

우리가 아는 간디는 20세기 인도의 위대한 지도자로서 비폭력주의의 제창자로 기억합니다.

이러한 간디의 정치적인 활동들에 대한 이야기는 역사 시간이나 인물 스페셜 시간에 자주 나오는 것으로 대략 알고 있었지만, 국가를 대표하는 정치인이나 독립투사로서가 아니라 한 인간으로서 삶을 어떻게 살아왔는가를 잘 보여주는 책이 바로 이 책인 것 같습니다.

우선 간디의 생을 간략히 소개하면 그는 1896년 세벵골 구자라트주의 포르반다르에서 세 번째 계급인 바이샤 가문의 유능한 행정가였던 아버지와 그의 넷째 아내로서 독실한 비슈누파 힌두교도인 어머니 사이에서 태어났습니다.

온순하고 평범한 유년기를 거쳐 인도 사말다스 대학에서 의사가 되고 싶어 했으나, 해부에 대한 비슈누교의 금기와 가문의 전통 때문에 변호사의 길을 선택하고, 영국 유학길에 올라 런던 이너템플 법과대학을 입학, 변호사로서의 길을 걷게 됩니다.

이러한 가운데 영국으로부터 인도를 독립시키는 운동에 참여하게 됩니다. 1906년 영국 정부가 인도인 지문 등록법을 제정하자 간디는 새로운 행동방식인 사티아그라하, 곧 집요하게 거부하되 비폭력을 고수한다는 입장을 세우고 옥고와 탄압을 포함한 7년간의 위대한 투쟁 끝에 그는 마침내 승리를 합니다.

한편, 간디는 점차 자기 개혁의 강도를 높여, 손수 세탁과 이발과 청소를 하고, 하루 한 끼 과일로 식사를 대신하면서 단식과 자연요법을 실천합니다. 아울러 자기 개혁의 실천 도장이라고 할 수 있는 아슈람, 곧 집단생활과 기도를 위한 집을 설립하기 시작합니다.

이러한 집단생활 속에서 간디는 체험을 통한 자연생식 주의의 체계를 세워나가며 많은 인도인에게도 귀감이 될 글들을 여러 언론지에 올립니다. 이러한 글들만을 모아 만들어 낸 책이 바로 '마음을 다스리는 간디의 건강 철학'입니다.

책에서 간디는 *'병이란 불결한 것이 몸의 특정 부분에 축적되었다는 자연의 경고일 뿐'*이라고 말합니다.

그러므로 '약을 먹어 병의 더러움을 덮어둘 게 아니라 자연으로 하여금 제거하도록 하는 게 지혜로운 일'이라고 주장합니다. 약을 먹는 사람들은 오직 자연의 치유 기능을 더욱 어렵게 만들 뿐이라며 자기 통제력을 잃게 하고 그런 만큼 인간으로서의 위엄을 잃게 만드는 것이라고도 했습니다.

더 나아가 현대 의학은 몸을 지나치게 중시하고 육신에 깃든 정신을 무시하도록 만들기 때문에 *'사악한 마술'*이라고 주저 없이 규정짓기도 합니다.

간디는 이렇게 말했습니다

"내면적인 청결함이란 곧 마음의 청결과 순수를 의미한다. 몸과 마음 사이의 관계는 너무나 긴밀하고 중요해서 어느 한쪽이 고장 나면 전체가 고통을 받는다. 따라서 진정으로 건강한 사람은 건강한 몸에 건강한 마음을 가진 사람이다. 깨끗한 마음을 갖기 위해 우리는 늘 자신을 경계해야 한다. 질병의 다른 형태에 지나지 않는 사악한 정념과 생각을 쫓아 버려야 한다."

"몸을 청결하게 하려면 정돈된 생활을 하고, 음식을 미각적인 만족이 아니라 오직 생존을 위해 먹어야 한다."

간디는 이렇게 주장하고 자신의 생활도 철저히 그에 따라 금욕적인 생활과 절제된 식사로 일관합니다. 사람들이 미각을 떠받들고 있는 현실을 깊이 개탄하면서 *"인간이란 먹기 위해 태어난 존재도, 먹기 위해 사는 존재도 아니다"*라고 말합니다.

간디가 말하는 인간의 진정한 역할은 스스로 창조자를 알고 그를 섬기는 것이라고 했습니다. 또한, 그러한 섬김에 필요한 몸을 만드는 것이 인간의 의무라고 했습니다.

일부 의사들에 대해서는 부만 축적하려는 오만과 무지의 존재로 생각하고 아울러 현대 의학에 대해 강한 부정과 함께 점차 발달하는 의학의 방향이 탐욕과 정념의 인간을 더욱 탐욕스럽고 난잡한 성생활로 몰아가는 것이라고 비판합니다.

자신의 철저히 절제된 식생활은 가난한 인도인들이 진정 행복하게 살 방법들을 모색하는 실험적 생활로서 선행되며 저렴하고 구하기 쉬운 토속적인 음식만을 주장하는 것도 그 저변에는 민족을 살리려는 마음에서 출발한 것입니다.

더욱 감동적인 것은 다른 과학자나 의사들이 하지 못하는 실험으로 모든 것을 자신이 직접 먹고 생활해 봄으로서 많은 해악과 독소들도 경험한 후 그 음식에 대한 장점들을 찾아가는 모습이 그 어느 의사나 과학자보다 위대한 모습이었습니다.

간디는 자신의 도덕과 상식과 몸으로써 먼저 검증해보지 않고서는 아무것도 수용하지 않는 독창적인 사상가였습니다. 따라서 이 책에 나오는 여러 간디의 견해는 오랫동안 간디 자신의 실천과 연구와 실험을 바탕삼은 것으로서 그 자체만으로도 독특한 가치를 전해주었습니다.

저는 이 책을 통해 신체적, 정신적, 도덕적인 관점에서 더 나아가 영적인 관점에서 간디의 위대한 건강 철학을 만날 수 있었습니다.

제4책

헬렌 니어링의

『아름다운 삶,
사랑 그리고 마무리』

<진정한 삶의 본질>

날로 발전하는 첨단과학과 초고속의 우주 시대를 열어가는 요즈음, 그 속에서 태어난 우리는 일상에서 빚어지는 피할 수 없는 치열한 생존경쟁과 전쟁 같은 삶들을 살아가고 있습니다.

따라서 우리의 심신은 지칠 대로 지쳐있고 병들어 가는 육체뿐만 아니라 영혼마저 삶의 참 의미와 방향성을 잃어버리고 그저 기계의 한 부품처럼 생각 없이 하루하루를 살아가고 있다고 해도 과언이 아닙니다.

이러한 각박한 현실을 벗어나서 좀 더 인간다운 조화로운 삶을 찾고자 하는 사람들이 있다면 여기 헬렌 니어링이 쓴 책 '아름다운 삶, 사랑 그리고 마무리'를 한 번쯤 읽어 보기를 적극적으로 추천합니다.

이 책은 헬렌 니어링이 오랫동안 사랑해 온 남편 스콧 니어링의 삶과 반세기 넘게 함께 한 그들 부부의 삶을 통해 경험한 진정 조화로운 삶의 철학과 살아가는 방법들을 담담하게 기술해 가고 있습니다.

책의 저자인 헬렌 니어링은 스무 살이 넘는 나이 차이에도 아랑곳하지 않고 공주 같은 생활을 내팽개치고 백척간두에 선 무일푼의 스콧 니어링을 남편으로 맞이하여 평생 존경과 사랑과 우정으로 살아가다 사랑하는 남편을 먼저 보내고 그에 대한 식지 않은 애정을 모아서 <아름다운 삶, 사랑 그리고 마무리> 라는 책을 썼습니다.

스콧 니어링에 대해서는 그의 자서전이나 <조화로운 삶>이란 책을 통해 더 많이 알려져 있습니다. 자로 잰 듯한 단조로운 삶을 살아간 스콧 니어링에게 어떻게 그렇게 자유분방한 헬렌이 매력을 느끼고 자신의 삶을 바꾸면서까지 평생을 함께할 수 있었을까 하는 의문도 생깁니다. 하지만 진정 어려운 시기를 사랑으로 극복하고 함께한 그들의 삶은 너무나 아름답고, 부러우리만큼 멋진 삶이었습니다.

자립 경제에 대한 확고한 정신과 인간과 자연에 대한 정확한 지식을 기반으로 진정 가치 있는 삶인 노동의 기쁨을 누리며 누구에게도 피해 주지 않으면서 누구보다 자유롭게 살아간 그들이 위대하기까지 합니다.

이 책에서 스콧 니어링은 허수아비 같은 현대인들의 생활의 신조라고 할 수 있는 '더 많이 소유하고, 더 많이 얻기'에 대한 대안으로 *'덜 갖되, 더 많이 존재하라, 더 충실하라'*는 말들로 일침을 가하고 있습니다.

'우리가 가지고 있는 것이 아니라 그것으로 우리가 어떤 일을 하느냐가 인생의 진정한 가치를 결정짓는 것이다.'라는 말속에는 현대의 풍요 속에 소멸하는 진정한 삶의 본질을 정확히 지적하고 그에 대해 대안적인 삶을 주장하며 그 방법들을 몸소 실천해 본보기로서의 삶을 살았던 것 같습니다.

이외에도 여러 가지 측면에서 스콧 니어링은 진정한 경제학자로서 많은 저서를 자비로 출판하는 등 철저히 경험에 입각한 이론을 사회에 알리고자 했으며 절제된 삶과 바람직한 원칙에 따라 실천적인 삶을 살려고 노력했음을 알 수 있습니다.

이 책에서 또 하나 괄목할 만한 것은 스콧 니어링의 죽음인데 그는 죽음에 대해 *'죽음은 광대한 경험의 영역이다. 나는 힘이 닿는 한 열심히, 충만하게*

*살아왔으므로 기쁘고 희망에 차서 간다. 죽음은 옮겨감이거나 깨어남이다. 모든 삶의 다른 국면에서처럼 어느 경우든 환영해야 한다'*라고 말했습니다.

그는 죽음 또한 삶의 일부로 받아들이고 의식을 갖고 그동안 어떻게 사는지 배워온 것처럼 어떻게 죽는지 또한 배우려는 자세로 죽음에 적극적으로 임합니다. *'죽어서도 양배추를 심고 싶다.'*라며 그의 유언장에는 심지어 작업복을 입혀 침낭 속에 넣어 화장해 줄 것을 유언합니다.

후일 미국의 많은 언론과 학계에서는 그의 평생에 걸친 업적으로 그를 진정한 경제학자, 교육자, 평화주의자, 인권옹호자, 좌파 정치인, 국제 사회주의자로서뿐만 아니라 생태주의자, 귀농 운동가, 미래주의자로서 인정했다고 합니다.

재생지로 만든 절대 화려하지도 않고 두껍지도 않은 작은 책이지만 그 속에서 만난 그들의 삶은 읽는 이로 하여금 이루 말할 수 없는 감동과 삶에 대한 새로운 조명을 전해주고 있습니다.

'아름다운 삶, 사랑 그리고 마무리'를 읽고 난 후 니어링 부부의 삶에 매료되어, 또 다른 저서인 '조화로운 삶', '조화로운 삶의 지속', '소박한 밥상' 등의 작품들도 읽어 보았습니다. 그들의 작품 속에 한결같이 느껴지는 자연적인 삶 속에서 조화로움은 불쌍한 현대인들에게 새롭게 회생할 수 있는 소중한 삶의 방법을 제시하고 있는 것 같습니다.

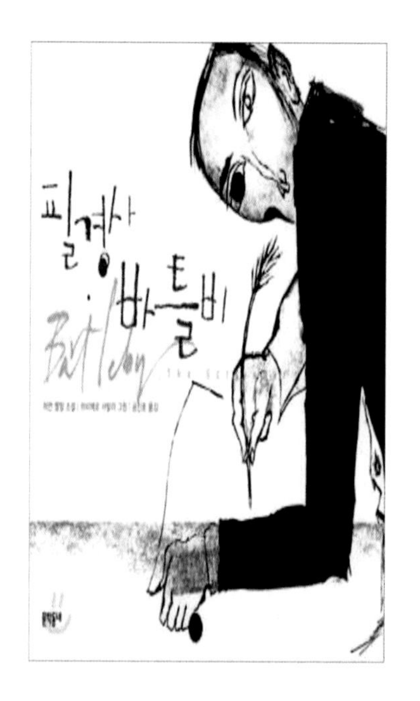

제5책

허먼 멜빌의

『필경사 바틀비』

<삶은 선택이다>

이 책을 다 읽고 나서 마음에 남는 한마디는 **"그렇게 안 하고 싶습니다"**라는 말입니다.

상사가 일을 시키는데도 차분하고 격이 있는 말투로. *"그렇게 안 하고 싶습니다."*라고 대답할 수 있는 것에서 처음에는 다소 이해할 수가 없었습니다. 시간이 지날수록 그런 바틀비가 너무나 도발적이고 이기적인 사람이란 생각이 들었습니다.

초기 자본주의 노동시장에서는 상식적으로 이런 말들은 금기시되었던 시대임에도 불구하고 바틀비는 확실한 자기 의지를 갖추고 당당하게 *"그렇게 안 하고 싶습니다."*라고 말했습니다. 지금과 같은 시대라면 다소 이해가 될 수 있습니다. 정해진 노동에 대한 의무 외에는 단호히 거절할 수 있는 사회로 발전되었기에 그러한 말과 행동은 충분히 이해됩니다.

하지만 초기 자본주의 시장에서는 돈이 곧 권력이고 횡포의 근원이었습니다. 돈이면 무엇이든 가능했던 시대에서는 사측이 원하면 죽음도 불사해야만 했던 시대에 감히 바틀비는 자신의 주장을 정확히 말하고 거부권을 주장했으니 그런 사람을 어떻게 이해하고 평가해야 할지는 사람마다 의견이 분분할 수 밖에 없습니다.

여기서 바틀비를 평가하는 우리의 입장을 한 번쯤 돌아볼 필요가 있다고 생각합니다. 평가란 객관적이기보다는 다소 주관에 따라서 할 수밖에 없습니다. 그런데 태어날 때부터 자본주의 체제에 절여지고 세뇌되고 아주 심각하게 편중된 우리의 사고 판단하에서는 바틀비는 아주 괴팍하고 무책임하며 이기적인 인물이 될 수밖에 없습니다.

그렇다면 이번에는 역지사지로 화자인 변호사 입장에서 주인공인 바틀비 입장으로 바꾸어 생각해 보면 어떨까요?

그는 자본주의의 희생자로서 돈의 횡포에 유린당하고 있는 자신을 지키기 위해 마지막까지 고군분투하다 서서히 소진되어 죽음에 이르게 됩니다. 그러한 바틀비의 일생을 귀감으로 우리 독자들에게 노동자들의 애환을 소환시킬 수 있지 않을까요? 도제적인 삶에 익숙하고 심지어 인간임에도 불구하고 기계처럼 도구로 전락해 버린 노동자의 모습을 탈피하고 정확한 자기 의사 표시를 통해 당당하게 인간의 존엄을 지켜내는 바틀비를 보고 이런 가치의 혼돈 속에서는 당연히 의견이 많을 수밖에 없습니다. 성자 같다고 기도하고 패배자의 모습이 아닌 승자의 최후 같다고도 할 수 있습니다.

그럼 이번에는 좀 더 적극적으로 이렇게 생각해 봅시다. 내가 만약 바틀비였다면 과연 어떻게 했을까요? 돈의 권력 하에 비굴한 행동을 자기도 모르게 되는 자본주의의 폐해를 거스를 수 있을까요? 물질의 노예가 되어 사는 요즘 세대에서는 아마 힘들 것 같습니다. 세뇌받은 사회적인 규율을 무시하지 못하고 노예이면서도 노예인 줄도 모르고 사측이 요구하는 대로 노역을 하게 될 것 같습니다.

그런데 과연 바틀비의 이런 용기는 어디서 나왔을까요?

바틀비는 정권이 바뀌면서 그 정치 세계의 권력에 선택받지 못하고 기존에 있던 자신의 안정적인 일자리마저 잃고 쫓겨난 후 힘없이 여기저기 전전긍긍하다 겨우 필경사로 전락하여 빈곤한 삶을 살게 됩니다. 하지만 그곳에서조차도 변호사에게 선택받지 못하고 쫓겨나고 말았습니다. 이러한 난관 속에서 자신의 의사를 정확히 말하려면 그는 이미 스스로 많은 것을 포기할 수밖에 없었을 것이고 마지막으로 자신이 선택한 것은 인간의 생명을 단축하는 일. 즉, 죽음을 향해 두려움 없이 스스로 소멸하는 것 아니었을까요?

*"그렇게 안 하고 싶습니다."*라는 어구가 반복되고 변주될 때마다 미묘하게 달라지는 뉘앙스. 온갖 상상의 날개를 펼쳤다 접었다 하는 변호사의 속내를 통해 알 수 있는 자본 시대의 숨겨진 흑심들. 빤히 드러내는 독백과 심각한 상황에서 슬쩍 끼어드는 썰렁한 유머는 바틀비의 노동자적 면모와 변호사의 자본가적 면모를 여실히 드러내 보여주고 있고 작품 속에서 월가 사무실 공간을 삭막한 사물의 느낌 그대로 표현하는 작가의 필력은 대단하고 수려하기까지 합니다.

주인공으로 나오는, 유순하되 비타협적인 거부 방식의 바틀비와 온정적이고 타협적인 변호사의 대비된 모습 속에서 우리는 자본주의와 불화하는 예술가 혹은 소외된 근대인의 전형을 찾아볼 수 있습니다. 즉 바틀비는 자본주의 체제를 혁명적으로 거부하는 인물로 대비된다고 보였습니다. 조용한 반항, 소위 말하는 비폭력 저항을 통해 거대한 자본주의에 반항하는 한 인간의 모습이 바틀비의 죽음 위에 선명히 새겨져 있습니다.

이 소설에서 바틀비는 우리에게 *안 하는 편을 택하겠습니다* 라는 말을 남김으로써 우리 스스로 '삶은 선택이다'라는 명제를 가지게 되었습니다.

제6책

새뮤얼 허팅턴의

『문명의 충돌』

<역사가 제시하는 세계관의 방향>

요즈음 우리가 살아가는 세계의 흐름을 파악하기 위해 조언을 구한다면 머뭇거림 없이 새뮤얼 헌팅턴의 <문명의 충돌>이라는 책을 권하고 싶습니다.

냉전이 종식되었다고 하는 지금 과연 우리의 가치관은 통일돼 가고 있는가? 라는 질문 앞에 우리는 이 책 <문명의 충돌>을 보며 또 다른 충돌의 보이지 않는 전쟁을 예감하게 됩니다.

냉전 시대의 이데올로기 대립은 노동과 재화를 가치로 보는 시각에 중심을 둔 것이었지만 공산권의 붕괴가 과연 공산주의 가치관의 소멸을 뜻하는 것인지에 관해서도 논란의 여지가 있습니다. 그러나 정작 더 중요한 문제는 지금까지 부각되지 않고 있던 경제 외적 가치가 경제적 가치 대신 세계를 움직여 가는 화두가 될 수도 있지 않느냐 하는 점을 문제로 제기한 새뮤얼 헌팅턴은 <문명의 충돌>이란 책에서 강하게 제시하고 있습니다.

미래에는 상이한 문명에 속하는 국가와 집단이 제3의 문명에 속하는 대상과 겨루어 자신들의 이익을 증진하거나 그 밖의 공동 목적을 추구하기 위해 제

한적이고 임기응변적이며 전략적인 연대와 결속을 맺을 것입니다.

이데올로기 대립에 억눌려 역사 흐름의 표면에 나타나지 않고 있던 문명 간의 갈등이 이제부터 수면 위로 터져 나올 것이라는 헌팅턴의 주장은 쉽게 나온 말들이 아님을 책의 여러 부분을 통해 증명하고 있습니다.

체첸을 비롯해 구소련의 여러 이슬람 공화국에서 벌어지는 일들, 옛 유고슬라비아 연방 내 정교-가톨릭-이슬람 세력 사이의 갈등, 동아시아 국가들의 국제 위상의 변화 등이 그의 관점을 뒷받침해 주고 있습니다.

그가 바라보는 장래 세계에서 경쟁과 대항의 주체는 '문명'입니다.

'야만'과 대비되는 보편적 의미의 '문명'이 아니라 언어, 종교 등 여러 가지 문화적 특질의 집합체로서 세계의 여러 지역에 자리 잡아 온 '문명권'들을 말하는 것입니다.

문명권을 구분하는 1차 기준은 종교라고 할 수 있습니다. 이에 따라 크리스트교, 정교권, 이슬람권, 유교권, 불교권, 힌두권 등이 설정되지만, 종교가 유일한 기준은 아닙니다. 그래서 라틴아메리카권, 아프리카권(비이슬람권), 일본권 등도 설정되는 것입니다. 헌팅턴이 생각하는 문명이 역사적 개념이므로 각 지역의 역사적 상황에 따라 문명권의 형성 원리가 종교일 수도 있고 아닐 수도 있기 때문입니다.

비록 8~9개의 문명권을 설정해 놓았지만, 결국은 크리스트 교권 대 여타 문명권의 대립 양상이 얼마 동안은 큰 비중을 가질 것임을 그는 부인하지 않습니다. 결국 동서 대립의 뒤를 남북 대립이 잇는다는 이원론의 관점을 어느 정도 수긍하는 것입니다. 그러나 이 남북 대립의 양상은 과거의 동서 대립에 비해 집중력도 약하고 지속 기간도 짧을 것이라고 그는 예측합니다. 중국, 일본, 이슬람권 등의 발전으로 이원론적 관점은 10년 이내에 빛을 잃으리라는 것입니다

인류의 가치 체계가 하나로 통일된다는 일원론, 냉전 시대와는 대립의 형태를 바꿀 것이라는 이원론에 대항해 다양한 가치 체계가 복잡한 상호 관계를 펼

쳐 나가리라는 전망이 그의 요점입니다.

이 책에서 다룬 내용들은 문명의 개념, 보편 문명의 문제, 권력과 문화의 관계, 문명 사이의 세력 균형 변화, 비서구 사회에서 나타나는 문화적 자각, 문명의 정치 구조, 서구 문명의 보편성이 야기하는 갈등과 이슬람의 호전성 및 중국의 자기주장, 중국의 부상을 바라보는 상이한 시각, 단층선 전쟁의 원인과 역학 관계, 서구와 문명 세계의 미래, 인구 증가가 세력 균형에 미치는 지대한 영향 등 많은 주제를 역사적인 자료에 근거하여 피력하고 있습니다

그는 *"문명과 문명의 충돌은 세계 평화에 가장 큰 위협이 되며, 문명에 바탕을 둔 국제 질서만이 세계대전을 막는 가장 확실한 방어 수단이다"*라고 주장했습니다

이 책은 사회 과학서가 아니며 그런 의도로 집필하지도 않았다고 합니다. 그보다는 냉전 이후의 세계 정세의 변화를 해석하는 데 주안점을 두었다고 작가는 밝힙니다. 이 책은 학자들이 의미 있게 받아들이고 정책 입안자들이 쓸모 있게 활용할 수 있는 세계

정세를 바라보는 해석 틀이라고 할 수 있는 패러다임을 제공하겠다는 야심을 담고 있습니다

이 책을 읽으면서 저는 그동안 너무나 편협 된 사관과 정견을 가지고 있었다는 것과 한국이라는 작은 나라의 위치를 다시금 생각해 보게 되었습니다. 우리 주변의 4강은 네 개의 문명권, 그것도 가장 저력과 변수가 큰 문명권들을 대표합니다. 냉전의 최전방에서 왔고 냉전의 최후까지 묶여있는 우리가 새로운 세계 질서 속에서도 가장 예민한 지정학적 위치에 놓이게 되는 것입니다. 이러한 위치와 상황에 놓여 있는 한국의 실정을 정확히 본다면 서구의 경제발전의 뒤꽁무니만 바라볼 것이 아니라 우리 속의 진정한 문화와 그 가치를 깨닫고 우리와 동일한 아시아 문화를 발굴 개발하는 것이 앞으로 우리가 해야 할 중차대한 과제임을 통감하지 않을 수 없습니다.

이 책은 우리 사회의 장래를 바라보는 데 하나의 중요한 시각을 열어주는 책이라는 점에서 또 다른 많은 지인에게 적극적으로 권하고 싶은 책입니다.

part 2

한정은

제1책

베짱이처럼 사는 것도 괜찮아

『만일 내가 인생을 다시 산다면』을 읽고

어릴 적에 접했던 동화 '개미와 베짱이'의 이야기는 지금도 생생하게 기억난다. 메시지는 간단하다.

'개미처럼 쉴 새 없이 성실하게 일해야 한다.' (그래야 베짱이처럼 나중에 고생하지 않는다.)

각기 다른 여름을 보낸 후 겨울의 삽화에서 주는 메시지는 설득을 넘어 공포감을 조장하는 것 같기도 하다. 뙤약볕에 땀을 뻘뻘 흘리며 일을 한 개미의 겨울이 풍요와 안정이라면 나무 그늘에 누워 기타 치고 노래하던 베짱이가 맞이한 겨울은 불쌍하다 못해 비굴하기까지 하다.

두 개의 다른 결과는 값싼 노동력을 앞세워 경제 성장을 이루던 당시의 우리나라 현실에서 필요했던 당근 같은 채찍질이었다. 가난한 서민들이 고단한 현재를 이겨내라고, 안락한 미래가 기다린다고 독려하기 위한 동화다.

이 동화는 그 시대에는 설득력 있는 동화였지만 현시대에 적용하기에는 억지스러운 면이 있다. 내일의 안녕을 위해서 오늘의 힘든 상황을 참고 견뎌내는 것이 필요하다는 데는 어느 정도 공감하지만, 예술적인 길은 가난하게 살게 된다는 듯한 암시나, 자기만족과 '즐겁게' 사는 삶의 결과는 비관적일 것이란 일방적이고, 단정적인 메시지는 현재에 벌어지고 양상과는 거리가 멀다.

1980년대 말 대학 때 교양 수업 중 교수가 "너희들은 왜 사니?"라는 질문을 던졌다. 나는 "즐겁기 위해서"라고 대답했다.

"그건 너무 쾌락적인걸."

어이가 없었다. 내 대답은 교수가 듣고 싶은 정답

이 아니었다. 어차피 정답도 없는 질문이었는데 말이다. 교수의 말에는 즐기는 삶을 추구하는 것은 바람직하지 못하다는 뉘앙스가 있었다.

내가 보낸 대학 시절에도 '즐거움'을 추구하는 삶을 부정적으로 받아들이는 경향이 이어졌다고 본다. 거기다가 다양성은 권위에 의해 무시되는 고지식한 사회였다.

30년이 지났다. 개미처럼 열심히 일하며 살아온 기성세대의 성실과 인내의 결과, 물질적인 풍요가 이뤄졌다. 그러나 우리는 여전히 치열한 경쟁 사회에서 살고 있다. 경쟁 사회에서 앞서기 위해 기계적으로 공부하고, 성과를 내서, 물질적으로 성공한 사람도 존재하지만, 경쟁에서 뒤처져 무력감에 시달리는 사람도 있다. 양쪽 모두가 행복한 상황은 아니다. 욕망에만 매달려 온 사람에게는 앞만 보고 달려온 사람들에게 오는 허망함이 있었고, 경쟁의 실패는 쓰라린 시련과 불만족으로 낮은 자존감을 가질 수밖에 없었다.

그러나 예전과 비교할 수 없는 풍요 속에서 성장한 세대들은 이전과 다른 가치관이 형성되었고, 모든 국민에게 존재했던 하나의 목표와 행복의 방향은 이제 각각의 사람들에게서 다양한 방식으로 펼쳐지는 것 같다.

<만일 내가 인생을 다시 산다면>은 이처럼 혼돈과 다양한 욕구가 존재하는 사회에서 각자의 행복을 찾는 방법을 알려준다. 저자인 정신과 의사 김혜남은 파킨슨병으로 죽음의 시간이 가까워지자 삶을 진지하게 돌아보게 되었다. 인생을 숙제처럼 해치우듯 살았고, 의무와 책임감에 치여 모든 역할을 '잘해'내려 애쓴 삶이 후회스럽다고 했다. 정작 누려야 할 '즐거움'과 '행복'을 알지 못한 삶을 아쉬워했다.

완벽주의자가 되지 않으면 성공하기 힘들고, 부잣집에서 태어나지 않으면 도전해 보기도 쉽지 않고, 예쁘지 않으면 좌절하게 만드는 시대에 살지만 실수하지 않기 위해 완벽한 준비를 꿈꾸지 말고 60퍼센트만 채워졌다면 나서보라고 한다. 실패하더라도 거기에서 배우는 것도 의미 있다고 말이다. 그 안에서 행복과 기쁨과 감사를 느끼며 살면 그것으로도 충분히 의미 있다고 말한다.

개미처럼만 살지 말고 베짱이 같은 여유와 즐거움을 함께 찾으며 살 것을 권한다.

구구절절 되새기고 싶은 책이다.

제2책

익숙함에 편견이 생긴다

『필경사 바틀비』를 읽고

이 책은 서구 현대문학을 대표하는 고전 소설 <모비 딕>의 저자 허먼 멜빌의 작품이다. <모비 딕>은 <위대한 개츠비>와 더불어 미국 문학사에 남을 만한 명작으로 손꼽힌다.

<모비 딕>은 읽어 보진 않았지만, 우주와 인간에 대한 철학적 명상이 가득하다고 하는데, 필경사 바틀

비에서도 당시 사회를 바라보는 작가의 예리한 시선이 느껴졌다.

자본주의 사회에는 가진 자와 못 가진 자의 두 개의 상하 조직이 존재한다. 가진 자는 갑의 위치에서 돈을 제공하면서 많은 권리와 힘을 가진다. 노동자를 고용할 권리가 있고 동시에 해고할 권리가 있다.

가지지 못한 을은 갑이 언제 휘두를지 모를 해고권에서 벗어날 수 없다. 갑에게 인정받기 위해 끊임없이 노력해야 한다. 그래야 생존권에 안정을 찾을 수 있다. 갑이 가진 해고권은 을에게 고유의 업무 이외에 일을 시키는 부당한 지시에 항의하거나 거부하기 쉽지 않은 강력한 힘이다

'생명력'이라고는 찾아볼 수 없는 삭막한 전망의 월스트리트 변호사 사무실에 변호사는 기묘한 바틀비를 필경사로 고용한다. '필경사'란 타자기가 등장하기 이전에 사무용 필사를 전담하는 사람을 일컫는 말이다.

화자인 변호사는 두 명의 필경사를 이미 고용했고, 그들을 니퍼와 터키(칠면조)라는 별명으로 그들의 특징을 말한다. 그들에게 우스운 별명을 명명하고, 그들이 만들어 내는 성과로만 그들을 평가하는

것은 산업화 시대에 접어든 시기에 사람을 인간답게 보지 않고 기계화된 당시의 고용자들의 태도를 담았다고 보인다.

새로 고용된 바틀비는 맡은 바 일을 성실히 제대로 해낸다. 그러나 그에게는 변호사의 마음을 불편하게 하는 치명적인 면이 있다. 그는 필사본을 작성하는 일 이외 다른 일은 일절 하지 않는다. 이를테면 필사를 마친 문서 검증하기. 변호사인 고용자의 관점에서 검증은 필사의 완벽한 마무리를 확인하기 위해 필요한 작업이다. 변호사는 기존에 다른 필경사들과 해오던 일이고, 다른 필경사들은 어떤 문제도 제기하지 않았기에 바틀비의 거부를 용납할 수 없었다.

매번 완강하게 거부하는 바틀비에게 황당해하는 변호사의 이야기가 묘하게 재미있다. 바틀비를 굴복시키려던 변호사의 모든 시도가 무위에 그치고 만다. 변호사가 애처롭기까지 하다.

> "하지 않는 것을 선택하겠습니다."

바틀비는 명확히 자기 의사를 밝혔다. 그러나 바틀비의 의사 표현은 의사로서 인정받지 못한다. 변호사인 갑이 용납할 수 있느냐 하는 것이 중요한 것이지, 을의 자기 선택권은 고용인이 이해할 수 없는 것은 그 사회에서 용납되지 않는다는 것이다.

이때 주목해야 할 것은 독자는 변호사가 이성적이고 상식적인 사람으로 보인다는 것이고, 바틀비가 고집불통의 골칫거리 노동자로 느껴진다는 거다. 그 이유는 변호사가 단지 화자이기 때문만은 아닌 듯하다. 어쩌면 갑에게 주어진 엄청난 권력과 권리가 당연한 것으로 인식하고 있었기 때문일 것이다. 어쩌면 갑의 요구에 웬만하면 을은 응당 들어주어야 한다는 것. 인정하긴 싫지만 '현실이잖아'하며 왜곡된 현실에 순응하고 살아왔기 때문일지도 모른다. 가진 자에게 호의적인 사회의 기세에 무력해진 탓에 말이다.

대체 을에게는 고유의 업무와 관련 있는 다른 업무 지시를 거부할 권리가 있기는 한 걸까. 이것도 어떤 것이 정답이라고 자신 있게 말할 수가 없다. 우리는 자본주의 사회에서 수많은 일들이 가진 자에게 유리하게 작동되고 있고, 그것들이 못 가진 자들에게는 치명적으로 불리함을 애써 모르는 체하고 있지는 않나. 언제가 나도 가진 자의 위치에 있을 날을 꿈꾸면서 말이다.

바틀비는 계속되는 업무로 인해 몸에 이상이 오고

다른 업무에 대한 강요가 이어지자, 일을 그만두겠다고 말한다. 그러나 사무실을 떠나지 않으며 저항한다. 사무실을 떠나지 않는 버틀비는 강제로 구치소로 보내진다. 바틀비가 배달 불능 우편물을 폐기하는 일을 했던 때에 버려진 용서와 희망이 담긴 편지처럼 인간애의 실현은 물거품이 된다.

얼핏 보면 변호사는 신사적이고, 합리적인 사람으로 보이고, 바틀비를 죽음에 이르기까지 한 것을 막기 위해 노력한 것처럼 보인다. 그러나 경찰과 법과 사회의 모든 시스템은 변호사와 같은 가진 자에게 유리하게 만들어져 있고, 그들의 편에서 존재하고 있다. 나약한 한 사람의 노동자를 죽음으로 몰 수 있을 정도로 산업에 중심을 두는 사회는 냉정하기만 하다.

바틀비의 행동에 한 가지 의문과 거기에 대한 답을 스스로 생각해 보았다. 바틀비가 고용인과 피고용인과의 불평등한 상하 관계에 대해 불만이 있었다면 왜 변호사에게 어떤 말로든 노동자의 권리라든가, 계약 관계의 불평등에 대해 말하지 못했을까.

'하지 않는 것을 선택하겠습니다' 외에는 어떤 말도 하지 않는 바틀비 개인의 힘으로는 거대한 사회

체계에 맞설 수 없는 한계성을 보여준 것은 아닌지. 그래서 작가는 저항할 수 없는 산업화의 시대에 '인간이 중심'의 시대에 대한 희망은 끝내 사라졌음을 말하고자 했다고 본다.

우화로 사회주의 사회의 변화를 담아낸 <동물 농장>이 떠올랐다. 조지 오웰에게 느끼는 경외감을 허먼 멜빌에게도 느낀다. 읽기 힘들다는 <모비 딕> 읽기 도전이 가치 있을 거라는 생각에 확신이 든다.

제3책

세련됨에 반하다

『빛과 물질에 관한 이론』을 읽고

앤드루 포터의 처녀작인 '빛과 물질에 관한 이론'은 2008년 발표 당시 호평받으며 주목을 받았지만, 우리나라에서는 큰 관심을 끌지 못하고 절판되었다. 2019년 소설가 김영하의 팟캐스트 소개로 세간에 입소문이 나기 시작한 단편집이다.

어려운 이론서 느낌이 나는 제목 때문에 한국 독자들에게 외면받았던 게 아니었을까 하는 생각이 든다.

10편의 단편 속에는 화자의 기억 속에 남았던 중대 사건이 존재한다. 예리한 심리 묘사와 간결한 문체, 기억 속 다소 충격적인 미국 사회의 현실적인 이야기에서 풍기는 세련된 정서가 마음에 끌렸다. 그리고 대부분의 이야기는 구체적인 배경 묘사가 없음에도 묘하게 영화를 보는 것 같은 느낌이 든다.

각각의 이야기 속 화자는 기억을 더듬어 가며 사건의 경위를 드러낸다. 그리고 이야기 속에는 대체로 교육 수준이 높은 중산층 삶의 정서가 있다. (이야기 속의 직업군은 대개 의사, 변호사, 교수였다.)전반적으로 상대방의 인격을 존중하는 태도가 미국 사회에 저변에 깔려 있다는 것을 발견했다. 그중 재밌게 읽었던 세 편 이야기를 하고자 한다.

[**코요태**]에서는 집에 오랫동안 들어오지 않으면서 성과도 없는 다큐멘터리에 매달려 사는 남편과 거기에 연연해하지 않고 알아서 잘 사는 변호사인 부인의 이야기가 아들의 시선으로 그려진다.

남편의 살아가는 방식에 부인은 이러쿵저러쿵 논하는 법이 없다. 오히려 초반에는 그런 남편을 존중하고 사랑하는 모습이 그려진다. 남편의 삶의 방식이 어떻든 간에 자신의 행과 불행으로 연결 짓지 않고 자기 일에 충실하기까지 한 여자에게 존경심마저 들었다. 여자가 변호사라는 전문직을 두었기에 가능했는지도 모른다. 여자는 남편의 빈 자리를 애인으로 채웠다. 남들의 시선은커녕 남편이나 자식에게조차 떳떳하다. 누구도 그들을 비난하지 않고, 죄책감에 시달리지 않는 그런 가정이 왜 한 층 발전된 사회 속 풍경처럼 보이는 걸까.

내면은 질투와 열등감에 사로잡혀 있을지언정 외형적인 모습은 상대의 프라이버시를 존중하는 모습이다. 아내가 다른 남자와 하는 애정어린 행동을 본 남편은 코요태가 되어 짐승의 본능을 드러내는 사건을 저지르고 말았지만 말이다.

[아론]은 동성애로 인해 폭행 사건이 발생하기까지의 기억을 더듬어 간 이야기다. 아이가 없는 부부는 홈스테이해서 한 청소년의 보호자 자격이 된다. 남편의 시선으로 아내와 아이를 지켜보며 제 3자의 관점에서 동성애를 바라본다. 이야기에서는 어른들이 청소년을 인격적으로 대하는 모습과 그들이 만들어 가는 관계 방식에 선망을 느끼며 배우는 자세로 읽었다.

이 단편집에서 가장 마음에 꽂힌 이야기는 [**빛과 물질에 관한 이론**]이다. 읽는 내내 영화를 보는 것처럼 영상이 그려지는 흥미로운 체험을 했다.

물리학 교수 로버트가 낸 방정식 시험 문제를 유일하게 끝까지 붙잡고 있던 헤더는 교수의 초대를 받고 그와의 시간을 보낸다. 동시에 헤더는 촉망받는 의대생 콜린과 연애를 시작한다. 헤더는 사려 깊고 자상하게 그녀의 이야기 상대를 자처하는 로버트와의 시간이 즐겁다. 그러나 콜린에게 우정과 사랑의 감정을 넘나드는 로버트와의 관계를 말하지 못한다. 그리고 콜린과 결혼을 할 것 같은 운명의 느낌을 받고, 대외적으로 공인된 연인 관계를 유지한다.

어느 날 헤더와 로버트가 연인처럼 함께 있는 모습을 콜린에게 들킨다. 콜린은 헤더에게 그와 다시는 만나지 말라며 없던 일로 마무리 짓고 둘은 결혼한다. 콜린과 헤더는 이사 가고, 헤더는 로버트와 몰래 서신을 주고받다 연락이 끊긴다. 그러다 어느 날 로버트가 죽었다는 얘기를 들었고, 헤더는 늦은 밤 오열한다.

단순히 흥미로운 연애 소설 이야기 속에 빠지기엔 제목이 주는 무게감 때문에 멈칫하고 작가가 붙인 제목의 의미를 두고 생각해 보았다.

'빛'은 정신이요, **'물질'은 몸**이라고 규정해 보았다. 로버트와 헤더는 육체적인 관계가 아닌, 서로에게 빛이 가진 생명력과 삶의 활기를 얻는다. 즉, 정신적인 사랑을 의미한다. 별거하고 부인과 떨어져 외로운 삶을 사는 로버트는 물리학에 나름의 애정을 가진 젊은 여제자에게서 빛이 가지고 있는 따뜻한 사랑의 에너지를 얻었을 것이고, 자신의 모든 이야기에 귀 기울여 주는 자상하고 지적인 로버트가 헤더에게는 밝은 빛과 같은 존재였을 것이다.

그리고 콜린과의 관계에서 헤더는 물질을 나눈다고 볼 수 있다. 결혼이라는 명백한 시각적인 행위를 함께 했고, 육체적인 관계를 하고, 돈과 집과 물질적 가치를 함께 공유하는 물질적인 관계라 하겠다.

콜린과 로버트 그 둘 모두가 헤더에게는 포기하기 힘든 삶의 중요한 부분이라는 생각이 든다. 헤더는 분명 콜린을 선택했다. 나 또한 콜린을 선택했을 것이다. 그러나 로버트와의 관계를 청산할 수 없었던 헤더의 심정도 이해가 간다. 로버트는 콜린에게 어떤 부담스러운 존재가 아니었다. 사랑을 구걸하지 않았고, 많은 이야기를 들어주며 친구처럼, 부모처럼 위로와 응원을 해주었을 뿐이다.

작가는 로버트의 입장을 드러내지 않았지만, 나는 알 것 같다. 교수와 제자라는 관계 속에서 사랑의 감정을 드러낼 수 없는 자신의 처지와 사랑스러운 제자의 공공연한 애인과의 관계를 망가뜨릴 수 없는 심정을.

대중적이면서 절제된 언어로 표현한 세련되고 신박한 소설이다. 영화로도 재밌게 만들어질 것 같은 연애 이야기다. 앤드루 포터의 이야기 속 세련된 느낌은 다음 소설에서도 기대되는 점이다. 좋아하는 작가 리스트에 이름을 올렸다.

제4책

죽음에서 배우는 삶

『모리와 함께한 화요일』을 읽고

80세에 돌아가신 시아버지는 폐암 진단을 받고 2년 정도 병원을 들락거리며 치료받다가 병원에서 생을 마감했다. 시아버지의 생에 대한 강한 애착을 잘 알고 있던 자식들은 아버지를 살리기 위해 고가의 치료비에도 불구하고 아낌없이 새로운 치료법에 희망을 걸었지만, 잠깐의 효과가 있었을 뿐이었다.

결국, 치료로 인해 몸은 더 빨리 쇠약해지다가 사망했고, 최종 사인은 폐렴이었다.

아버지의 죽음 뒤에 혼자가 된 시어머니가 몸도 약하니 머지않아 아버지를 따라갈 것이라며 자식들은 최선을 다해 자식 된 도리를 했다. 어떤 자식은 손수 밥해 드시는 늙은 엄마가 안쓰러워 매주 반찬을 채워 놓았고, 어떤 자식은 늙은 엄마를 대신해 집 안 청소를 다 해 놓고 돌아갔다.

시어머니는 12년째 혼자 살고 계시다. 그 사이 두 명의 자식은 환갑을 지났고, 그중 한 명의 자식은 손주를 봤다. 그렇게 어느덧 자식들도 같은 노인의 세대에 진입했고 시어머니는 치매를 앓고 있고 건강은 나빠지고 있다. 끊임없이 말하는 어머니의 반복되는 질문에 화를 내지 않으려고 감정을 꾹꾹 누른다.

자식들의 도움 없이 바깥출입도 하지 못하는 어머니에게서 하루도 멀리할 수 없는 자식은 끝이 안 보이는 이 시간이 언제까지 이어질지 알지 못한 채 행복과 불행한 삶의 경계를 넘나들고 있으면서 효자 노릇을 저버리지 못하고 있다.

나를 비롯해 남편과 시누이들은 부모의 노년 삶을 지켜보며 지쳐갔다. 어느새 부모와 같이 노년에 가까워지는 우리는 이구동성으로 말했다.

장수는 절대 복이 아니라고. 어쩌면 재앙일지도 모른다고. 그리고 너무 늦지 않은 시기까지 건강하게 살다 가족에게 아무런 폐를 끼치지 않고 고통 없이 삶을 마감할 수 있는 행운이 있기를 간절히 바란다고.

10년 만에 다시 모리와 함께한 화요일을 읽었다. 첫 번째 읽었을 때는 절친에게서 마음 상해서 그의 화해 손길을 외면한 후 영원히 돌이키진 못한 채 친구의 죽음 소식을 접한 모리의 회한에 깊이 공감했었다.

그래서 죽음이 임박했던 아버지와의 화해를 주저하지 않을 용기가 생겼고, 적절한 시기에 만난 모리 덕분에 아버지의 사후에 나를 괴롭혔을지 모를 비애의 마음은 없다.

다시 읽으며 어떤 부분에 마음이 꽂힐까 궁금했다. 책은 언제나 내가 어떤 상황에 있는가에 따라 달리 다가오기 마련이다.

모리가 루게릭병으로 굳어가는 몸의 변화에 의연하게 죽음을 받아들이는 자세는 여전히 감동적이었지만 이번에는 모리의 죽음으로 가는 과정을 가까이에서 지켜본 부인의 심경은 어땠을지가 궁금했지만, 그런 내용은 찾을 수 없었다.

어느 책에서 읽었던 죽음에 대한 언급이 떠올랐다. 가장 비참한 죽음은 돌연사(突然死)도 아니고 사고사(事故死)도 아니고, 병사(病死)라고. 병으로 고통받는 당사자뿐 아니라 가족의 고통 또한 어찌 가볍겠는가.

죽음에 대해 배울 때 어떻게 살아야 하는지 배우게 된다

10년 뒤에 또다시 읽어보아도 이 말은 그때도 느꼈듯이 지금도 장기기억 하고 싶은 말이다.

제5책

잘하고 있는 거 맞아?

『모성』을 읽고

딸의 추락 사건을 계기로 엄마가 살아온 삶을 반추해 보며 이야기가 시작한다.

'엄마의 고백'과 '딸의 독백'으로 각기 다른 시선에서 이야기 전개가 이루어진다는 점이 흥미롭다. 같은 공간과 같은 시간을 함께했더라도 대부분은 신기하게도 다른 기억을 갖게 마련이다. 엄마에게 서운했던 일은 내 기억 속에 뚜렷한데, 엄마의 기억 속에는 존재하지 않는 것처럼 말이다.

엄마와 딸의 다른 기억은 곳곳에 나온다. 모녀간의 공감할 만한 일반적인 갈등 이야기를 기대했는데, 엄마에게 보여진 지나친 극단성이 공감하기 힘들게 만들었다.

엄마는 친정어머니로부터 자애로움과 칭찬과 격려를 받으며 성장했고, 그런 어머니에 대해 지나치게 확고한 신뢰 관계가 형성되었다. 엄마는 친정어머니에게 지나치게 의지를 한 나머지 어머니의 뜻을 거스르는 것은 잘못된 것이고, 어머니를 기쁘게 해주며 살아가는 삶이 바람직한 여자의 삶이라고 여긴다.

한 마디로 자아를 버리고 사랑을 준 어머니에게 내 삶의 주도권을 양도하고 살아가는 삶을 추구하는 엄마다. (이 책이 일본인 작가라는 것을 고려하면 여자의 삶이 타인을 기쁘게 해주는 것에 주안점을 두는 것이 그 당시에 어느 정도는 일반화된 일본의 사회적인 정서가 아닐까 하는 생각이 든다.)

마음에 들지 않았던 남자에게 청혼받지만, 친정어머니의 지지 없이는 결혼을 결정할 수 없는 엄마는 친정어머니의 긍정적인 의견에 따라 결혼을 결심하고, 아이를 낳아 기르는 과정에도 친정어머니를 가까이에 두고 여전히 사랑을 갈구한다.

엄마는 딸에게 곤란에 빠진 사람을 도우며 살아가는 착한 아이로 자라기를 바란다. 엄마는 병적일 만큼 친정어머니에게 집착하는 면이 있음에도 가정에는 이렇다 할 문제는 드러나지 않았다 그 사건이 일어나기 전까지는.

태풍과 화재의 재난으로 친정어머니가 죽음으로써 행복했던 집 분위기는 다른 양상이 펼쳐진다. 친정어머니에게 향해 있던 인정 욕구에 대한 엄마의 신념은 친정어머니를 대신해 시어머니에게로 향한다. 그러나 시어머니는 친정어머니처럼 자애롭지도 않았으며, 엄마를 구박하고 멸시했다. 그러나 그렇게 살아오는 것을 정답으로 여기며 살던 엄마에게는 환경이 바뀌었다고 해서 대상이 바뀌었다고 해서 자신이 굳게 믿고 따르던 신념이 달라지지 않는다.

딸은 순종하며 사는 것에 가치를 두는 엄마와는 다른 세대에 살아가고 있는 듯하다. 엄마와 달리 딸은 친할머니의 부당한 처사와 불공정한 면을 따지기도 하면서 불합리한 점을 바로잡고 싶어 한다. 그것이 또한 엄마의 가르침대로 불쌍한 처지의 엄마를 돕는 것으로 생각했지만 엄마는 자신과 달리 순종적이지도 않고, 자기 생각을 드러내며 어른들을 기분 나쁘게 만드는 딸이 못마땅하고 이해할 수 없다. 딸은 자기 목소리를 내고 싶어 하는 자아가 엄마에게 부정당하고, 인정받지 못해 고달프다.

나는 다른 사람의 눈치만 보고 살아가는 엄마의 이야기가 책을 읽는 내내 답답했다.

우리는 누구나 지키고 싶어 하는 신념이 있다. 세대가 바뀌면 다른 형태의 세상이 새롭게 나타나기 마련인데, 습관이 되어버리고 관성을 가진 신념은 우리가 경험하지 못한 전혀 다른 세대의 가치관을 인정하고 받아들이기는 쉽지 않게 만든다.

"저는 딸아이에게 제 모든 걸 바쳐 정말 애지중지 키웠습니다!"

우리는 어쩌면 책 속의 엄마처럼 자식을 애지중지 키우고 있다고 믿지만 정작 구태의연한 잘못된 신념에 매달려 있지는 않은지. 그러고는 그것을 모성이라고, 혹은 정답이라고 믿으며 우매하게 아이들을 힘들게 하고 있지는 않은지 생각해 볼 일이다.

제6책

사랑에 빠지고 싶을 때 읽는 책

『매디슨 카운티의 다리』를 읽고

사랑에 빠진 사람의 얼굴을 보면 평소보다 훨씬 활기 넘치고 생기가 돈다. 그들에게는 인생이 즐거움으로 가득 찬 듯하다. 이제는 덤덤하게, 미지근한 온도로 전우애로 사는 남편과 살아온 지가 10년이 훌쩍 넘었다. 그래서인지 열렬히 사랑하는 사람의 정열이 부러울 때가 있다. 그때 읽은 책이 매디슨 카운티의 다리다.

영화로 더 유명한 이 이야기는 실화를 바탕으로 소설가에 의해 재구성되었다. 자식들은 엄마의 유품을 정리하다 엄마의 감춰둔 로맨스의 흔적을 발견한다. 그것이 아버지와의 사랑 이야기였으면 좋겠지만, 웬걸 엄마의 뜨거운 사랑은 가족 모두가 집을 비웠던 4일간에 이뤄졌다. 더욱더 기가 찰 노릇은 가족들 몰래 20년간 절절하게 그 남자를 그리워했다는 사실이다. 자식들은 엄마의 뜨거웠던 사랑과 글을 출판사로 가져가서 책으로 펴냈다.

엄마의 사랑을 불륜으로 치부하여 묻어두지 않고, 저자의 유언도 없었던 출판을 결정한 자식들의 진심은 무엇인지 궁금하다. 엄마가 써놓은 책 안에서 문학적인 열정을 발견한 것일까. 대중에게 보여주고 싶을 만한 고결한 사랑이란 판단에서였을까. 어떤 이유에서건 자식들의 결단은 대단하다.

조용한 시골 마을에 가족이 박람회를 관람하러 떠나고 혼자 남겨진 프란체스카는 매디슨 카운티의 다리를 촬영하러 온 사진작가 로버트를 보고 한 눈에 운명의 남자임을 알아본다. 인생에서 우주에 존재하는 단 하나의 사람이라고 확신했던 두 사람은 뜨거운 사랑을 나눈다.

로버트는 자기와 함께 떠나자고 제안하지만, 프란체스카는 그들이 떠난 후 남겨진 가족들에게 닥칠 보수적인 마을의 차가운 시선 속에서 살아야 할 가족을 생각하며 떠나지 못하고 남는다.

이후 사진작가인 로버트의 행적을 잡지로 찾으며 그리워하고, 로버트는 자신을 찾아올 그녀를 기다렸지만 두 사람은 끝내 만나지 못하고 생을 마친다. 그리고 추억의 다리 매디슨 카운티의 다리에 유골을 뿌려달라는 유언과 로버트가 남긴 물건이 고스란히 남아 있었다.

책을 읽으며 든 생각은 만날 수 없는 사랑하는 사람의 존재가 있다는 것이 유부녀인 프란체스카에게 행복인지 불행인지가 궁금했다.

이혼을 한다면 두 팔 벌려 맞이해 줄 사람이 있다는 것이 한편으로는 행복일 수도 있다는 생각이 든다. 나를 오매불망 기다리는 존재는 이혼의 성사나 혹은 배우자의 사망과 같은 일이 발생할 때는 희망이지만, 반대로 결혼이 오래 지속되는 상황에서라면 만나지 못하는 아쉬움과 그리움에 서글퍼질 게 뻔하다. 그러니 내연의 관계에 있는 사람은 요즘과 같은 장수 시대에 불행의 시간이 더 길 것 같다는 결론이다. 매디슨 카운티의 다리 같은 불꽃 같은 사랑 이야기를 책으로 대리 만족하련다.

part 3

유지희

제1책

나로부터 시작된 오롯한 나의 선택

김혜남의 『만일 내가 인생을 다시 산다면』

#1. *"완벽한 때는 결코 오지 않는 법이다."*

드뷔시(C.Debussy)의 "달빛(Clair de Lune)"은 몽환적인 곡이지만 듣는 사람에 따라 다양한 감정을 느끼게 한다. 나는 대학 때 위클리 연주를 위해 선곡하던 중 "달빛"에 매료되었다. 그동안은 파워풀하고 흥미로움을 자극하면서 통통 튀는 특징의 곡들을 선택했었는데, 이 곡을 연주한 이후 내 음악은 서정적인 분위기의 곡들이 선정되었다.

"달빛"을 선명하게 할지 부드럽고 은은하게 할지 서글프게 할지를 결정하고 음색을 만들고 테크닉을 연습했다. 분위기의 음악으로 대표되는 이 곡을 나는 어떻게 만들어 가고 싶은 것인지 연습 전 고민을 많이 했다. 그리고 방향성을 잡는 데에만 오래도록 심란한 채로 시간을 보냈다. 그리고 무엇에 심취해야 할지 나는 어떤 느낌을 말하고 싶은지 연습을 거듭했다. 미숙함이 성숙함으로, 성숙함이 완벽함이 될 때까지 나는 몰입하고 집중하고 공을 들였다.

나는 "달빛"의 차갑지만 구슬픈 느낌을 연주했다. 내 연주를 들은 사람들은 서글펐다고 했고 길고 긴 달빛의 긴 꼬리가 반짝이는 느낌을 받았다고도 했다. 팩폭이 시그니처인 교수님께도 칭찬받았다. 그러나 나는 완벽함에 대한 기대치가 높았을까. 마지막 음을 연주하고 음의 여운이 가시기도 전에 다시 연주하면 좋겠다고 생각했다.

삶도 음악과 같다.

다른 사람에겐 더없이 완벽해 보이는 것 같아도 스스로가 완벽하다고 만족하는 삶은 없다. 흐르는 시간 속에서 연주되는 삶은 이건 틀렸다면서 다시 고치기도 하고, 데자뷔를 겪으며 반복되는 시간을 살기도 한다. 때론 쉬어가기도 하고, 이렇게 열심히 살아도 되는지 의문을 품으며 내달리기도 한다. 연습으로 살 수 없는 생이라고 하지만 지워내고 생성하길 반복하는 것이 삶이다.

연주를 끝내고 나면 처음 연주가 시작되었던 시간으로 다시 돌아갈 수 없을 뿐이지 새로 연주하는 것은 얼마든지 가능하다. 삶을 살아내는 시간이 하루가 아니라 평균 80년 정도 주어지는 것은 돌아가는 것에 대한 미련이 아닌 수정하고 새로이 살면서 더 나은 오늘이 되기를 바라는 신의 마음이었을 것이다.

#2. *"하나의 문이 닫히면 하나의 문이 열린다."*

저자는 마흔세 살에 갑자기 몸이 점점 굳어 가는 파킨슨병 진단을 받게 된다. 개인 병원을 열어 꿈을 펼치고자 했고 정신분석 전문의로, 두 아이의 엄마로, 시부모님을 모시고 사는 며느리로 혈기 왕성하게 살아내야 하는 시점이었다.

대상도 없는 원망이 일어남과 동시에 불행으로 인한 황망함이 스멀스멀 정신을 파고들었을 것이다. 그러나 저자는 자신의 상황을 객관화하고 할 수 있는 많은 가능성의 문을 활짝 열었다. 그리고 해야만 하는 일들이 아닌 미뤄뒀던 일들을 전부 앞으로 꺼내어서 하기 시작했다.

위기의 문을 닫고 기회의 문을 열었다. 위기는 참으로 요란하다. 그 요란함을 극복하든 요란함에서 벗어나려고 하든 결국 나는 애를 쓰게 되고 방법을 찾는 사이 웃음을 머금게 된다. 우리의 삶은 다음 문을 열면서 새로운 세상에 대한 만남의 연속이다.

#3. *"만일 내가 인생을 다시 산다면"*

답 없는 노년기를 어떻게 살아내야겠다고 찾아 헤매는 방황의 시기가 바로 지금인 것 같다.

“어떻게 늙는 것이 잘 늙는 것인지에 대한 정답은 없다. 노년기는 활동적이고 혈기 왕성한 시기가 될 수도 있고, 한 발 뒤로 물러난 고용한 시기가 될 수도 있다. 또 우리가 이제껏 알고 행해온 것들을 다지거나 혹은 탐험을 시작하는 시기가 될 수 있다. 안락의자에 앉아 몸을 흔들며 노년기를 보내는 것이 어떤 노인에게는 좋은 시간이 될 수도 있다. 인생을 어떻게 살아야 한다는 특별한 기준은 없다. 각자 자신이 살아온 방식대로, 혹은 자신에게 가장 만족스러운 방식대로 살아가는 것이 최선의 삶이다.”

누군가는 재미있는 취미와 적성을 찾아내기도 하고, 누군가는 자신에 대한 탐구를 시작한다. 누군가는 자신이 알고 행해온 것들을 정리해서 하기 싫은 건 안 하기도 하고 자신이 무엇을 원하는지 지금부터 여정을 떠나기도 한다.

나는 어떤 상황에서든 내가 선택하는 삶을 살기를 바란다. 결과를 알 수 없다는 사실은 나에게만 해당하는 것이 아니라는 점에서 난 자신감을 잃을 필요가 없다. 그러니 새로운 것들을 도전하는 탐험의 시기가 되는 것도 꽤 괜찮은 삶이 될 수 있을 것 같다. 노년기의 나라면, 선택의 결과가 탐탁지 못할 뿐 아니라 아쉬움이 가득하더라도 미숙함은 부족함을 뜻하는 것이 아니라는 걸 알고 있지 않을까?

만일 내가 인생을 다시 산다면 난 지금과 별반 다르지 않을지 모른다. 지금도 잘 살아온 내가 기특하고 대견하다는 생각엔 변함이 없으니 말이다. 또한, 하고 싶은 것을 하고 하기 싫은 것을 하지 않는 환경에서 살았으니, 자화자찬이 늘어지는 지금이 좋은 것 같다.

다만 한 가지, 다시 살게 되는 인생에선 조금 더 넓은 이해심을 갖길 바란다. 이해심이라면 타인뿐 아니라 나 자신에게도 관대하게 될 것이다. 그렇다면 희로애락 속에서 느껴지는 모호함까지도 나는 괜찮다고 생각하며 살게 될 것 같다.

제2책

일반화의 오류에서 비롯된 비선호로의 직결

허먼 멜빌의 『필경사 바틀비』

#1. 일반화의 오류

“사람이란 극도로 불합리한 방식으로 위협을 당하면 가장 확고했던 믿음마저 흔들리기 시작한다. 다시 말해, 정의와 이성이 모두 상대방의 편에 서 있다고 생각하게 되는 것이다.”

옳고 그름의 문제가 아니다. 하고 싶은 것과 하기 싫은 것에 대한 이야기다. 허심탄회하게 내뱉은 내 생각을 듣고 모두가 내 생각과 생각의 방법에 대해 공격적인 모습을 취하면, 나는 내 생각을 의심하고 그런 생각을 했던 나 자체를 의심하게 된다. 그러면 믿음은 흔들리게 될 수도 있다.

불합리하고 이성적이지 못한 발언이나 행동은 공격이다. 이러한 공격은 한 명에서부터 출발하고 비슷한 뜻을 가진 다른 사람들에게도 전파된다. 그러고 나면 내 생각을 반박하기 위해 그들만이 아는 정의를 들이민다.

이 세상에서 가장 불합리하게 의견을 모으는 방식은 '다수결'이라고 한다. 소수의 의견이 존중되지 않는다. 게다가 다수의 의견 속에서 기권을 포함하여 조금은 다른 의견도 결이 비슷하기만 하다면 한쪽에 갖다 붙이는 방식이다. 그 결과로 일반화가 된다.

이것이 극단의 방식이 되는 또 하나의 이유는 '다수결이 불러오는 합리성'이다. 도대체 누구에게 합리적이라는 말일까? 조율이라는 것은 없는, 손바닥 아니면 손등이라는 식의 해석은 독특하고 신박함을 가진 자들을 주저하게 만든다. 그리고 그들을 음지로 내몰게 된다.

그래서 일반화라는 것은 조심스러운 것이고, 다수가 같은 생각을 한다고 하여 그것이 정의와 올바른 이성이 포함되어 있다는 오만은 버려야 한다.

#2. 적극적인 수동적 저항

> "수동적 저항만큼 열성적인 사람을 괴롭히는 것도 없다. (중략) 바틀비의 수동적 저항을 감내하는 것은 힘든 일이었다."

바틀비는 '하지 않는 것'을 선호했다. 그리고 선택했다. 그는 정말 하지 않았다. 반항인 듯 보이는 저항은 무엇에 대한 것이었을까?

나도 내가 반드시 해야 할 일이라고 스스로 생각되지 않는 것에 대해 하지 않겠다고 하였다. 타인에 의해 혹은 사회적 구조나 시스템에 의해 주어지는 임무는 부당하다고 느낄 때가 있었기 때문이다. 하지만 바틀비처럼 깊이 있고 일관적이지는 못했다.

바틀비는 일관적이고 용기 있는 '선호'를 하였다. 전통적이고 관례가 뿌리 깊게 박힌 월스트리트는 초 단위로 움직여대는 곳인데 아무것도 하지 않는 것을 선호한다고 말하다니.

난 이 부분에서 변호사에게 깊은 연민을 느꼈다. 시종일관 변호사는 바틀비에게 연민을 느꼈지만, 그는 흔들리지 않았다. 그러나 변호사는 끊임없이 바틀비를 이해하려고 이리저리 노력해 보았고 호기심을 가져보기까지 한다. 비일비재한 일이더라도 이해하기 어려웠을 텐데 바틀비를 끊어내지 않았다. 그리고 마지막엔 그를 진심으로 동정한 듯했다.

이유가 없어 보인다고 실제로 이유가 없는 것은 아니다. 바틀비의 저항을 이해하려고 하기보단 바틀비를 이해하기 위해 괴로움을 감내했던 변호사가 되어 볼 필요도 있다.

#3 선호의 의미

> "이상하게도 그 즈음해서 나는 이 '선호'라는 단어를 온갖 경우에 무턱대고 사용하는 습관을 갖게 되었다."

좋은 말 같다. 좋아하는 것 중 특별히 좋아하는 것을 부드러우면서도 단호하게 표현할 뿐 아니라, 다른 걸 배척한다는 뜻도 아니기 때문이다.

하지만 바틀비에게 있어 '선호한다.'는 것은 싫고 좋음에서 좋은 것을 선택하는 것 같다. 그래서 변호사는 굉장히 헷갈렸던 것 같고 나 역시 이 말이 무슨 말인가 싶었다.

예외 없는 선택. 그로 인한 모든 결과도 예측이 되었던 모양이다. 내가 느꼈던 바틀비의 '선호'는 더 큰 의미가 있어 보였다. 단순히 일을 안 하겠다는 범위가 아니었던 것 같다. 그러나 변호사에게로 옮겨간 '선호'는 약간 가벼워졌다. 개인의 기호와 같은 것을 알아보는 정도라고 할까. '선호'의 이중성을 얕봐서는 안 되겠다.

#4. 비선호의 용기

> "'선호하지 않습니다.'를 선택하겠습니다."

삶이라는 것이 눈을 떠서 다시 눈을 뜰 때까지 선택의 사슬인 듯하다. 선택의 갈림길에서 어려운 것은 하기 싫은 것을 해야 하는 것과 하고 싶은 것을 하지 못할 때이다. 그 이유가 대중성이나 일반성 때문이라면 더욱 괴롭다. 하지만 생각보다 '선호하지 않는다'고 말할 용기를 내서 괜찮을 때가 더욱 많다.

예를 들어서, 나는 회식 때 고기를 먹는다는 말에 아예 다른 메뉴를 말할 수 있었다. 물론 받아들여지기도 하고 그렇지 않을 때도 있지만, 난 선호하지 않는다고 분명히 말하고 심지어 회식에 참석하지 않을 때도 있었다.

누군가 이유도 말하지 않고 그냥 일을 떠넘기려 할 때, 나는 절대 할 수 없다고 말했다. 내가 아니면 누군가가 해야 할 일이지만 아무리 생각해도 부당한 지시였다는 생각이 확고했기 때문이다.

등산의 좋은 점을 끝도 없이 쏟아내던 사람이 내게 등산을 함께 가지 않겠냐고 제의했다. 난 산보다는 바다를 더 선호한다고 말했다.

여기서 언급되지 않은 수많은 선택사항이 결재 서류처럼 내 앞에 쌓여있다. 어떤 결과가 나올지도 어느 정도 예측은 되지만 난 바틀비가 되고 싶다.

이미 구축된 시스템은 생각보다 좁은 세상의 틀일 뿐일 수 있다. 그 안에 든 우리는 거기서 거기다. 다 안다는 듯한 제스처, 너는 이상하다는 표정, 이해할 수 없다는 뒤틀린 감정의 언어들.

바틀비는 사후에 변호사의 동정을 더욱 얻었는데 그것은 바틀비를 수용했던 마음이라는 생각이 들었다. 바틀비는 행복했을 것 같다. 바틀비의 반대편에서서 그를 바라보는 사람은 알 수 없을 묘한 통쾌함. 인생을 자기 뜻대로 선택해 살아낸 바틀비는 참으로 용감했다.

제3책

현실과 이상, 그 가운데의 삶

앤드류 포터의 『빛과 물질에 관한 이론』

#1. <구멍>

"만일 그분들이 내게 말을 걸었더라면, 나는, 때로 내가 꾸는 꿈속에서의 진실을 말해주었을지도 모른다. 내가 꾸는 꿈속에서 구멍에 잔디 봉지를 빠뜨리는 것은 탈이 아니라 나라고. 어떤 때는 내가 녀석을 밀어 넣는다고. 한번은, 내가 녀석에게 내려가 보라고 부추겼다고. (생략) 그러나 나는 내 꿈의 나머지 부분에 대해서는 말하지 않을 것이다. 내가 구멍 속으로 들어가고 탈은 살게 되는 그 부분은."

탈의 집에 있던 구멍은 어차피 불법이었고, 그 구멍 안으로 무엇이 들어갔다 한들 다시 집어 올 필요가 없는 것들이 부어지는 곳이다. 그런데 하찮은 잔디 쓰레기 봉지가 뭐라고 그걸 다시 주우러 더럽고 냄새나고 축축한 그 구멍으로 들어간 것일까.

이 모든 일은 쓰레기봉투라는 하나의 물질 때문에 벌어진 일이 아니다. 구멍에 들어가는 것과 같이 '하면 안 되는 것들'로 인해 생긴 일이다.

열 살인 탈이 이 잔디를 깎았으면 안 되는 것이었고, 카일은 주인공과 탈에게 그의 감시 없이 뒷마당을 정리하도록 하면 안 되었다. 그리고 깎인 잔디와 잡초들은 구멍에 버리는 것이 당연시되도록 하면 안 되는 것이었고 애초에 그 구멍의 뚜껑을 열어놓으면 안 되는 것이었다.

구멍 안에 든 물질들이 어떤 것인지는 모르지만, 무고한 사람들의 생명을 앗아갔다는 점에서 그 구멍은 공포 자체다. 그로 인해 그 구멍은 많은 사람에게 죄책감을 안겼다.

물리적인 구멍으로 인한 사고는 정서적 구멍을 만들었다. 이 구멍을 통해 깊은 두려움과 상실, 슬픔이 폭발적으로 분출된다. 그리고 주인공의 꿈으로 발현되었다.

현실에서도 우리 역시 인위적으로 만들어 낸 구멍을 가지고 있다. 많은 감정 쓰레기를 묻어두고 버리며, 빛나는 삶을 살기 위해 애쓴다. 그 구멍의 끝이 어딘가로 연결되고 어딘가에서 끝난다는 것을 알긴 하지만, 건드릴 수 없는 온갖 어두운 감정들이 뒤섞여 가라앉아 있는 두려움이 저절로 사라지기를 기다리고 진실을 왜곡하면서 말이다.

#2. **<빛과 물질에 관한 이론>**

로버트는 나이 많은 물리학 교수이고 헤더는 그 수업의 수강생이었다. 서른 살 차이가 나는 그 둘은 시험시간을 함께 하면서부터인 듯하다.

모든 학생이 문제를 풀지 않고 반항하듯 나가버렸는데 헤더만은 끝까지 남아 시험시간이 끝났음을 알릴 때까지 자리를 지켰다. 그 모습을 보고 로버트는 헤더에게 차를 권유하게 되고 그의 아파트에서 지적인 대화를 나누게 된다. 단시간에 그 둘은 학구적인 공통점 외에 서로 다른 개인사에 대해서까지 스스럼없이 이야기 나누게 된다. 그리고 그 대화를, 그 둘이 시간을 즐기면서 만남을 고대하게 된다.

이런 시간은 헤더가 만나게 된 멋진 남자 콜린에게 '이제 그만 만나겠다'라고 약속할 때까지 계속된다. 훗날 로버트의 죽음을 알게 된 후 그와의 이별을 예감했던 시간을 상실의 시간으로 밀어놓는다.

시작은 앳된 여대생과 젠틀하게 나이 든 교수와의 우정으로 시작된 듯했는데 마지막이 될 무렵 그 둘은 이미 너무 성숙한 어른들의 교감이었음이 느껴졌다. 단순한 로맨스가 아니었다.

분명히 사랑하는 사람을 두고 또 다른 마음을 가진 것은 불륜이다. 인정되지 않는 사랑. 그러했기에 예쁘게 받아들여질 수 없고 애틋하게 받아들여지면 안된다. 그런데도 헤더의 마음은 아픈 상처로 묘사된다.

헤더는 선택할 수 있었고, 생각할 수 있었다. 그리고 현실의 한 중앙에서 헤더는 부모님을 생각했고, 로버트의 가정을 생각했다. 그리고 자신의 마음이 로버트에게 향하고 있다는 것을 깨달았지만 콜린을 선택했다.

선택의 기로에 놓였던 헤더가 다시 선택할 수 있었더라도 콜린을 선택하고, 로버트를 잊으려 했을 것이란 것에 의심의 여지가 없다. 어쩔 수 없음, 이것이 그녀의 진짜 사랑이 이루어지지 못한 요인이라는 것을 알기에 이 사랑은 상실이고 고통이었다.

우리도 그렇지 않은가? '그게 뭐라고!' 하는 소소하고 보통의 일상에서 일생의 고통을 얻는다는 것을 말이다.

제4책

삶과 죽음을 관통하는 사랑

미치 앨봄의 『모리와 함께한 화요일』

#1. 알고 나니 놀라운 사실들

이 책이 자기계발서라고 했다. 표지를 이렇게 동화답게 만들어놨는데 자기계발서라니. 제목도 따뜻함이 연상된다. '화요일에 귀여운 모리와 만나 따뜻한 차 한잔을 할까? 피크닉을 가는 걸까?' 상상했는데 재미있었던 건 내 친구도 그렇게 생각했다는 것이었다.

루게릭병에 걸려 천천히 죽음을 맞이하는 모리 교수와 그를 찾아가 인생을 배우는 미치의 이야기를 보면서 '이런 관계는 늘 글 속에서나 나오는 건가?' 했는데 이 역시 실화를 근거로 했다. 해탈의 경지에 올라버린 모리 교수의 마음 변화가 진실을 의심하게 했던 것 같다.

모리와 미치가 매주 화요일에 만나 세상, 가족, 죽음, 자기 연민, 사랑 등에 관해 이야기를 나눈다. 또한, 세상 모두가 치열한 삶으로 인해 잃어버린 것들을 되찾아 가는 과정이자 살아있는 우리가 알아야 할 것들에 대해 대화하며, 읽는 사람으로 하여금 인생을 되짚어 보게 한다.

#2. 인생의 중요한 순간들

모리는 의미 없는 생활을 하는 사람들에 대해 엉뚱한 것을 쫓고 있다고 했다. 시간이 너무 빠르게 지나간다고 느끼던 때, 갑작스럽게 허무함이 밀려오던 때, 우선순위를 정하느라 시간을 허비하던 때, 내려놔야 하는 걸 알지만 부여잡고 있으면서 힘겨워하던 내가 생각났다.

누군가는 하고 싶은 일이 많아서 시간이 없고, 그래서 자신이 더 좋아하는 일을 하지 못하고 있다고 했다. 좋아하는 일을 반복해서 하고 있느라 새로운 일을 하려면 틈을 쪼개 계획을 해야 한다고 했다. 그런 사람들을 보는 다른 이들은 입을 모아 알차게 시간을 쓴다고 말하지만, 다들 속으로 그렇게 생각하고 있는 게 진실일까?

누구에게 보여주려고 하는 삶 말고 진정으로 내 삶을 느끼며 살아가기 위해, 자기의 인생을 의미 있게 갈기 위해 자기를 사랑해 주는 사람들을 위해 바쳐야 한다고 모리 교수는 말한다. 그것은 불행하지 않게 사는 법인 것 같다.

나에 대해서만 알아가고 느끼는 것 말고 나를 사랑하는 사람들에 대해 생각하고 함께 느끼는 것. 이렇게 산다면 일상에서 물리적으로, 정서적으로 구멍이 날 틈이 없을 것 같다.

#3. 죽음을 배우고 용서하는 것

모리는 어떻게 죽어야 좋을지 배우라고 한다. 우리 자신이 막상 죽음 앞에 서면 우리는 다른 사람이 될 수 있을 것이기 때문이다.

죽음을 생각하면 삶을 부정하고 극단적으로 보는 것으로 인식되어 왔다. 나 역시 삶에 대한 애정이 강한 사람인지라 죽음을 생각하고(자살이 아닌 자연사나 병사) 그 과정과 이후의 모든 것까지 생각하는 사람들의 지금의 삶은 비관스러운지 의문을 가졌던 적이 있다. 그러나 죽음을 생각하느나, 삶을 생각하느냐는 근본적으로 같은 것일 수 있고, 어쩌면 죽음을 생각하고 배우는 것은 자기 삶에 더 깊이 관여하고자 하는 적극적인 욕구일 수 있다는 생각이 들었다.

고통은 타인에 대한 연민을 더 잘 느낄 수 있게 하지만 타인을 용서할 수 있을지는 이 책을 다 읽고 나서도 확신이 서질 않는다.

난 죽음과 맞닿은 병을 안고 있으면서도 여전히 용서하고자 하는 마음보다 관계를 지속하지 않는 게 답이라고 생각한다. '친구니깐 말해 주는 거지, 가족이니깐 말해 주는 거지'와 같은 말들이 통하지 않을 소통이 지지리도 안 되는 사람들과 상처만 가득한 대화를 해야 한다는 것은 상상만으로도 지긋지긋하다. 터트리고 사라지고 없어지고 리셋이 된다면 시도해 볼 만 하지만 '내가 더, 네가 더'하고 있다면 용서가 무슨 의미가 있을까 싶은 것이다.

아직 난 죽음을 배우지 못했고 그래서 용서하지 못하는 것 같다. 난 지극히 모리 교수와의 직접 면담이 필요한지도 모르겠다.

#4. 언제나 이기는 사랑

“결혼 생활을 제대로 하기 위해서 알아야 될 규칙 같은 게 있나요? 두 사람의 가치관이 비슷해야 하네. 가장 중요한 것은…결혼의 '중요성'을 믿는 것이라네.”

난 이 대화가 의미심장하게 다가온다. 이혼이 흠이 되지 않고 졸혼이 문화가 되어가고 있는 이 시대에, 나를 무조건으로 사랑하는 사람이 있고, 내가 죽을 때까지 나를 사랑해 줄 사람과 함께 한다는 것에 큰

감사와 의미를 두기 때문이다. 나는 다음 생애 지금처럼 여성으로 태어나 지금의 짝꿍 씨와 다시 함께 살고 싶다고 공표하곤 한다. 누군가는 이런 나를 이기적이라고 했다.

그렇지만 이기적인 것은 내가 아니다. 오히려 상대에 대한 사랑이 변하거나, 혹은 사랑하지만 언젠가는 헤어질 수 있다는 마음가짐으로 일단 지금을 함께 하고 있는 마음을 존중해주는 이 시대가 이기적인 건 아닌가?

최소한 나는 사랑하는 사람과 오랜 시간 함께 하다 그 사람이 먼저 죽을 때, 당신과 당신의 삶을 존경하고 깊이 사랑했노라 말해 주고 싶다. 나 역시 진심으로 사랑했던 사람의 손이 내 손을 잡고 자신의 볼에 대어주는 따뜻한 온기 속에서 눈을 감고 싶다. 그렇다면 내겐 이만한 호상이 없을 듯하다.

아무리 화려한 솔로를 외친다 한들 난 무엇이든 이겨버리는 사랑을 쟁취하고 있음에 너무 감사한다. 무심히 지나쳐 버리는 소중한 많은 것들을 공들여 아끼고 사랑하는 힘이 생기니 말이다.

제5책

착각과 변수의 본능

미나토 가나에의 『모성』

#1. 어머니의 고백

> "두려운 감정이 솟구쳤기 때문입니다. 내 몸속에 다른 생명체가 있고, 그 생명체가 이제부터 내 피와 살을 빼앗으며 성장해 나간다는 것. 그리고 언제가 내 몸을 뚫고 이 세상으로 나온다는 것. 그때 나는 살아있을까? 새로운 생명체에게 모든 것을 빼앗기고 나라는 인간의 껍데기만 남는 게 아닐까?"

일말의 죄책감이 덜어졌을 뿐 아니라 속이 시원해졌다. 병명을 모르는데 아픈 환자처럼 때때로 찾아드는 답답함과 두려움이 해소되길 바랐었다.

많은 엄마는 모성이 타고난 것처럼 말했고 아이들을 예뻐한다는 발언만으로도 모성이 갖춰진 것처럼 보인다.

내겐 없을 수도 있는 것, 그리고 애써야 하는 것일 수도 있는 것. 그런데 모성을 누르는 두려움이 존재했기 때문이라는 점과 이러한 감정의 경험이 사실은 구체적으로 설명될 수 있는 보편적인 감정이라는 것에 대해 안도했다.

#2. 딸의 독백

> "용서받는다=사랑받는다. 내 머릿속에서만 성립하는 공식이었다. 사랑받기 위해서는 올바르게 행동해야 한다. 기뻐할 만한 행동을 해야 한다. '네가 세상에 존재하는 것만으로도 충분해.' (중략) 내가 암흑 속에서 갈구하던 것의 정체를 이제야 알게 되었다. '무조건적 사랑'이다."

나는 내가 딸일 때 알았다. 아무리 부모라 할지라도 무조건적 사랑은 기대하기 힘들다는 것을.

부모를 힘들게 하고 낙담하게 하는 자식에게 푸념 하나 늘어놓지 않고 등짝 스매싱을 날리지 않는다는 것은 매우 어려운 일이다.

그러나 나는 엄마가 되고서야 알았다. 자식을 향한 푸념과 등짝 스매싱도 자녀를 사랑하기 때문이라는 것을. 조화로운 사람이 되어 부모뿐만 아니라 타인에게도 사랑받기를 바라는 마음이 깃든 애정이다.

무조건적 사랑은 위기가 찾아왔을 때 베일을 벗는다. 누가 봐도 잘못을 저지른 아이가 다른 사람들에게 비난받고 공격받을 때 엄마는 아이를 치마폭에 숨긴다. 때려도 내가, 비난도 내가. 타인은 물론 아빠도 그러한 공격을 아이에게 할 수 없도록 한다. 아이를 일단 가리고 남들이 보이지 않는 곳에서 아이를 훈육한다. 그때도 사랑한다고 하면 좋으련만 대부분 인간인 엄마는 그러지 못한다. 내 딸도 간간이 나의 사랑을 의심하기도 하고 갈구하기도 한다. 나의 사랑이 무조건적인지 생각해 본다.

#3. 어긋난 시그널

> "넌 엄마한테 사랑받으려고 필사적으로 노력하는데, 네 엄마는 일부러 널 외면한다는 것만 알아. 사토시는 그걸 지켜보는 게 괴로운 거야."

엄마와 사이가 틀어지는 이유의 시작은 바로 어긋남이다. 사랑하고 있다는 엄마와 사랑을 갈구하는 딸.

필사적인 시그널은 서로 통하지 않을 때가 있다. 엄마는 나름의 노력과 방식으로 사랑하고 있지만, 딸의 입장에선 하나도 닿지 않을 수도 있다. 그건 서로가 다름을 인정하는 것에서부터 시작일 수 있다.

남이라면 서로에게 다가가는 쉬운 방식일 텐데 엄마의 분신으로 태어나 독립적인 인격체로 인정받기까지 오랜 시간이 걸린다. 그래서 어렵다.

그러니 사랑이라는 것이 통하지 않을 수도 있는 것이다. 이 또한 인정한다면 사랑의 교차로가 생길 텐데….

#4. 모성에 대하여

> "모성은 태어날 때부터 갖춰진 인간성이 아니라 학습을 통해 후천적으로 형성되는 것인지도 모른다. 그런데 대다수 사람은 그걸 선천적인 것으로 착각하기 때문에, 모성이 없다는 지적을 받은 어머니는 자신의 학습 능력이 아닌 인격을 부정당했다는 오해를 한다. 그래서 자신은 그런 불완전한 인간이 아니며 확실한 모성을 갖고 있다는 것을 증명하기 위해 필사적으로 변명을 늘어놓게 마련이다."

추측이었다. '모성은 어디서 사야 하나?' 했던 의문의 대답이. 그리곤 모유를 짜서 저장하듯 내 안의 모성을 찾아내 조금이라도 발견이 되면 저장해 두기 시작했다.

미혼의 출산 경험이 없는 아이들을 예뻐하는 한 지인은 무심코 한마디를 던졌다. 그리고 그 말은 나를 질색하게 했다.

"엄마라면 모성은 생기는 거잖아."

반박하고 싶었지만, 미경험자의 발언으로는 왈가왈부할 가치조차 없었다.

난 위로가 될 지인을 찾아냈다. 결혼하고 아이를 낳고 그녀의 아이가 내 아이와 나이가 비슷한 지인에게 어이없이 던져진 말을 전했다. 이런저런 부연의 말을 하지 않아도 사이다처럼 뻥 뚫리는 한마디를 했다. **“낳아보시던지!”**

필사적인 변명을 안 할 수 없다. 아무도 알려주지 않았으니까. 그리고 탓을 하자면, 모성이 아이를 가진다고, 낳는다고 바로 생기는 건 아니라고 왜 아무도 말해 주지 않은 걸까?

반대로 생각해 보면 효심이라는 것도 태어날 때부터 생기는 건 아니잖은가? 효심이 없어 보인다고 정말 효심이 없는 건 아닐 수도 있고, 설령 효도하지 않을지라도 불효자라고 단정 지을 순 없는 노릇이다.

이 책은 이 세상의 엄마들이 안도할 만한 이유를 전한다.

고군분투하며 자녀를 사랑하고 양육하는 것이 반드시 모성으로 통하는 것이 아닌 것은 보통의 일이라고.

제6책

나의 수치심을 외면하지 않는 인간성

루쉰의 『어느 작은 사건』

#1. 인생의 가치 있는 품성

난 이 책을 읽고 이러한 질문을 던지게 되었다.
'올바른 삶을 산다는 것은 무언인가?'
'나보다 못하다고 누군가를 평가하고 있진 않은가?'
'나의 진정한 인간성은 어떠한가?'

『어느 작은 사건』은 중국의 문학가, 사상가, 혁명가, 교육가인 루쉰의 단편소설이다. 그러나 나는 그림책으로 마주했다. 내가 상상했던 이미지가 맞는지 확인하고 싶었고, 상반되는 인간성을 색채와 묘사로 극명하게 느끼고 싶었기 때문이다. 어쩌면 진하게 전해져 온 자아 성찰력이 제대로 발동되었는지 시험해 보고 싶었는지도 모르겠다.

#2. 책이 전하는 이야기

교육부 관리직에 있었던 루쉰은 사회 전반에 걸쳐 벌어지는 일들을 매우 부정적으로 바라보고 있었다. 나라에서 벌어지는 일들이 계속될수록 루쉰은 사람을 깔보고 업신여기게 된다.

어느 날, 인력거를 타고 가던 중 어떤 할머니가 인력거 채에 걸려 넘어지게 된다. 루쉰은 노인을 상관하지 않은 채 자신이 오히려 괜찮다며 인력거꾼을 재촉한다.

글과 그림에서 느껴지는 거만하고 거드름이 가득함은 인력거를 세우고 할머니의 양손을 잡고 일으켜 세워주는 인력거꾼의 인성을 점점 빛나게 하기 시작한다.

인력거꾼은 따뜻한 말투로 안부를 묻고 할머니가 다친 곳이 없는지 확인하게 된다. 그리고 할머니를 모시고 파출소로 향하게 된다.

할머니를 마주하던 인력거꾼의 모습은 한없이 작아 보였었는데 점점 인력거꾼의 뒷모습이 장대해지고 힘이 가득 실린다.

#3. 숨겨지지 않는 수치심

낮은 지위에 있어 어쩌면 루쉰의 재촉에 그냥 가야 했을지 모를 인력거꾼은 소신이 있었다. 따뜻한 인간애를 나타내기 위해 권력을 거스를 용기와 소신. 그래서 마침내 루쉰의 가죽 외투 속에 감추어진 '치졸한 인간성'을 들추어낼 수 있었던 것 같다.

따뜻한 인간성을 가진다는 것은 다른 사람을 내 기준에 빗대어 평가하지 않는 것이다. 가능성과 됨됨이를 조잡한 기준으로 평가하는 순간, 결국 그것은 나의 부끄러움과 수치심으로 돌아오게 된다.

다시는 꺼내보지 못할 깊은 곳으로 수치심을 밀어넣어 보지만, 언젠가 의도치 않게 꺼내어지게 된다면 생각보다 명확하고 또렷하게 그 수치심과 마주하게 된다.

뒤늦은 후회보다는 바로 그 사건이 일어나는 그 순간, 루쉰처럼 나쁜 마음을 먹게 되었을 때 수치심을 느끼고 반성하고 부끄러워해야 한다. 그래야 그것을 아무 때나 꺼내어 나의 따뜻한 인간성을 업그레이드 시킬 수 있기 때문이다.

나 역시 내 안 깊은 곳에 수치심이 자리하고 있다. 그 당시 나는 참 어리숙하고 치기 어렸다. 하지만 급속 성장을 하던 중이라 그 수치심을 불러일으켰던 그 문제를 분명 해결할 수 있었을 것이다. '그게 뭐 어때서?'라고 했던 나의 안일함과 거만함, 오만방자함이 잊히지 않기 때문에 지금도 나는 반성하고 성장하는 중인지 모르겠다.

제7책

누구나 갖고 싶은 마음 위로 열쇠

윤정은의 『메리골드 마음 세탁소』

#1. 책이 전하는 이야기

언덕 위 세탁소같이 생기지 않은 세탁소는 생각보다 눈에 띄게 신비로운 방식으로 생겨났다. 그리고 깡마르고 하얀 얼굴에 까맣고 긴 머리를 한 여자가 세탁소의 사장이 되면서 세탁소를 찾아오는 이들에게 위로 차를 내어준다.

사람들은 위로 차를 마신 후 과거 속 얼룩졌던 마음의 비밀들을 얼룩으로 꺼내어 옷에 물들인다. 누군가는 지우고 누군가는 다려낸 사람들은 세탁소를 나서면서 하나같이 행복해하고 가벼운 얼굴이 된다.

또한, 이들을 통해 삭막했던 사장 '지은'도 마음의 변화를 겪게 된다.

#2. *"마음이라는 것은"*

마음의 병은 만병을 불러오고 마음의 치유는 만병통치약이라고 했다. 어떤 일이든 마음먹게 달렸다는데 그 마음이 보이지 않으니, 답이 없다.

"그러고 보면 마음이라는 게 보이지도 않고 형태도 없는 것이 참 힘이 세다. 마음으로부터 시작되고, 마음으로부터 해결되고, 마음으로부터 끝이 난다. 마음으로부터 꽃이 피기도 하고, 마음으로부터 불행이 지속되기도 한다. 마음은 어쩌면 모든 끝과 시작의 열쇠인 것일까."

뜻대로 되는 것이 없을 땐 막막하고 뜻대로 너무 잘 되면 불안하다. 그러나 마음을 펼쳐놓고 나면 면포처럼 무엇이든 걸러 내준다. 그것이 무엇이든 마음 한구석에 남아 좋은 것이 되기도 하고 좋지 않은 것이 되기도 한다.

마음이 평온할 땐 잘 모른다. 아무 일이 없다는 것이 얼마나 행복한지. 그러나 이 마음에 파장이 일기 시작하면 걷잡을 수 없는 일렁임이 현실의 나에게도 영향을 끼친다.

마음의 열쇠는 쥐고 있다가도 잃어버리고 가지고 있다가도 소멸하여 버리는 것 같다. 그러니 사는 내내 마음고생이라는 것을 하지.

#3. *"시련이라는 포장지"*

> "기억해, 신은 인간에게 최고의 선물을 시련이라는 포장지로 싸서 준대. 오늘 힘든 일이 있다면, 그건 엄청난 선물의 포장지를 벗기는 중일 수도 있다는 거지."

신은 참 가혹하기도 하고 개구쟁이인가 싶기도 하다. 손에 올려놓은 개미 한 마리처럼 실험 삼은 걸까. 어찌 이리 감정이란 것을 손바닥 뒤집듯 짧은 시간 안에 많은 것을 느끼게 한 걸까.

재미있고 유쾌할 땐 포장지도 재미있고 선물도 반전이라고 웃을 법도 하지만, 정말 힘이 든 사람에겐 정말 시련이라는 포장지라는 게 와 닿기나 할까.

시간을 돌린다 해도 운명처럼 꼭 만나야 하는 일들은 반드시 만나게 돼 있다고 들었다. 그 시련이 어느 지점에 와있는지, 어느 강도가 마지막인지, 끝나긴 할 건지 의문투성이가 된다.

그러나 다행스럽게도 마음의 얼룩은 시간이라는 표백제를 만나 지워지기도 하고 희미해지기도 하고 예쁜 모양으로 다려지기도 한다.

경험치는 나를 배신하지 않을 것이다. 같은 일을 또 겪었을 땐 초연할 것이고 그보다 더한 일을 겪게 되더라도 그럴 수 있다고 말할 수 있다.

나는 지금 포장지를 뜯는 중일지도 모른다. 언제다 포장지가 뜯어져 선물의 실체가 드러날지 모르지만 난 기대한다. 지금보다는 더 나아질 거라고. 그리고 다음번엔 좀 더 용기가 생길 거라고.

part 4

이 석 현

바틀비, 선택이 아니라 결과다!

『필경사 바틀비』를 읽고

*"인생은 B와 D 사이의 C이다."*라는 말이 있다. 프랑스의 철학자 장 폴 샤르트르가 남긴 말이라고 전해지는 문장인데, Birth와 Death 사이의 Choice라는 뜻이다. 바꾸어 이야기하면 인생은 선택의 연속이라는 말이다. 세월을 살아갈수록 인생을 너무나도 인생을 잘 표현한 문장이라는 걸 깨닫게 된다. 선택이 끝없이 이어지는 게 우리의 삶인 까닭이다.

거창하게 생각할 것도 없다. 우리의 일상이 그렇다. 중국음식점에 들어가서 짬뽕을 먹을지 아니면 짜장

면을 먹을지 고민하는 게 일상다반사다. 그러한 소소한 선택부터 인생의 갈림길에서 만나는 선택까지 수없이 선택의 순간을 만나게 된다. 아마도 이 땅에서 떠나야만 하는 그 시간까지도 선택해야 할 듯하다.

내게 점심 메뉴를 고르는 것은 쉬운 일이라 문제도 아니다. 어쩌면 선택하는 순간을 즐기고 있을 수도 있다. 행복한 식사 시간이 시작되었다는 의미인 까닭이다. 하지만 인생의 갈림길에서는 늘 결정 장애를 겪어 왔다. 부모와 같은 멘토의 결정을 따라가고 환경을 감안하고 몰라서 선택하는 등, 나는 주도적으로 하지 못하고 끌려다닌 선택들이 꽤 많다.

고등학교 다닐 때 나의 꿈은 사회학과에 진학해서 교수가 되는 것이었다. 그러나 스페인어학과에 진학했다. 내 학력고사 점수로 갈 수 있는 대학에는 사회학과가 없었기 때문이다. 차선책으로 외국어를 골랐고, 그중에서도 합격 안정성을 고려하여 스페인어를 선택해야 했다.

어떻게 보면 우유부단함이 나의 성격인 듯하다. 머뭇거리거나 우물쭈물하고 결단을 내리지 못한 경우가 꽤 된다. 그렇게 내린 결정들은 나중에 후회를 불러오곤 했다.

오늘 <필경사 바틀비>의 주인공 바틀비가 바로 그런 사람처럼 보인다. 그는 사무실에서 쫓겨나지만, 그 건물을 떠나지 못한다. 낮에는 계단 난간에 앉아 있고 밤에는 건물 입구에서 잠을 잔다. 결국, 경찰에게 연행되어 툼스 구치소로 연행된다. 그때도 전혀 저항하지 않고, 생기도 없고 동요도 없는 그 특유의 태도로 그들을 조용히 따른다. 그가 아무것도 하지 못하는 모습이 유약해 보이기까지 한다. 필경하는 일 외는 아무것도 하지 못하는 모습이 우유부단해서 그런 듯하다.

하지만 책을 처음부터 차근차근 읽어 보면 그렇지 않다는 것을 알 수 있다. 왜냐하면, 그는 무기력하게 하지 않고 있었던 것이 아니기 때문이다. 그는 단호한 결단을 내려왔다. 그 어떤 상황에도 우물쭈물하지 않고 바로 선택했다. *"안 하는 편을 선택하겠습니다."*라고 자신의 의지를 명확히 밝힌 것이다.

이 책의 원래 부제는 "A Story of Wall-Street(월가

의 이야기)"라고 한다. 책의 무대가 월가라는 이야기다. 미국의 자본주의를 상징하는 월스트리트는 금융의 중심지이다. 지금도 월스트리트 회사라는 의미는 그 회사가 어느 곳에 있든 금융서비스업을 영위한다는 뜻으로 쓰인다. 바꾸어 말하면 그곳은 욕망이 꿈틀거리는 도시라는 말이다. 그 욕망을 따라서 더욱 나은 삶을 살겠다고 몰려든 사람들이 북적이는 곳이 <필경사 바틀비>의 무대다.

나는 독서·글쓰기 강사이기도 하지만 진로코칭 강의도 한다. 그중에서도 '노동의 가치'를 주로 가르친다. 다른 표현으로 하면 청소년 노동인권 강사다. 노동인권은 노동자가 노동을 인간답게 할 수 있도록 돕는 안전 발판이다. 그런 측면에서 <필경사 바틀비>를 보면 공감되는 부분이 있다. 작업지시를 "No!"라도 말할 수 있다는 것이 요즘도 쉽지 않은 게 노동자의 위치다. 그런데 2세기 전에 이렇게 물질주의를 비판할 수 있었다니 작가의 통찰이 놀랍기만 하다.

그런 측면에서 보면 "안 하는 편을 선택하겠습니다." 노동자가 노동을 거부한 것이다. 좀 더 정확히 이야기하자면 법률사무소 안의 계급의 구조를 깨뜨린 것이다. 두 개의 공간으로 나누어진 공간의 이동은 오직 변호사만의 권한이다. 하지만 그 권리를 인정하지 않는 선택을 바틀비가 한 것이다.

그렇다면 이 책은 노동자의 권리를 쟁취하기 위한 소설일까? 옮긴이의 말이다.

> "이 소설이 각종 이데올로기를 표방할 잠재성을 품고 있지만, 어느 한 가지를 주장하며 그것이 전부인 양 취급하면 곤란하다. 고립과 소외, 산업화한 일터의 본질과 계급투쟁, 노동운동, 형제애, 정신질환, 허무주의, 메시아론 등 다양한 논의에 사용될 수 있겠지만, 그보다는 우선, 낯설지만 강렬하면서 여운을 남기는 이야기 자체가 주는 감동에 우리 자신을 내맡기는 것이 옳을 것이다."

그렇다. 나는 노동인권을 강의하지만, 이 책이 노동인권을 주장한다고는 느껴지지 않는다. 오히려 나는 바틀비의 "안 하는 편을 선택하겠습니다."는 말에서 자기 일에 집중하려는 몸부림을 보았다. 그 한편으로는 나도 보이기 시작한다.

#바틀비는 내 안의 나다.

필경사는 베껴 쓰는 사람이다. 자기 생각을 쓸 수는 없지만, 세상의 이치를 써놓은 문장을 베껴 쓰는 과정을 통해 그의 생각이 계속 자라났을 것이다. 우리가 책을 읽으면 책의 지혜가 우리의 생각이 되는 이유다. 그러면 그것이 통찰이 되어 세상에 글로 나오게 된다. 하지만 필경사는 받아들이는 것이 전부다. 입력은 되는 데 출력은 할 수 없는 상황은, 직설적인 표현이지만 '변비'와 같은 상황이 되는 것이다. 어떤 형태로든 분출될 수밖에 없다. 그것이 터져 나온 것이 "안 하는 편을 선택하겠습니다."가 아닐지 싶다. 그러니까 "안 하는 편을 선택하겠습니다."는 선택이 아니라 필연적인 결과이다.

#나는 날마다 읽고 쓴다.

책의 지혜가 내 생각으로 정리·정돈된다. 그것들이 통찰이 되어 세상 밖으로 다시 나온다. 내가 쓴 글이다. 바틀비를 보며 나는 행복하다는 것을 깨달았다. 온갖 표현으로 나의 머리에 든 것을 분출해 낼 수 있는 까닭이다. 한편으로는 바틀비가 내 안의 나임을 깨달았다. 받아들인 것을 밖으로 내보낼 수 없으면 죽을 수밖에 없음을 말이다.

읽으면 써야 하는 것은 선택이 아니라 필연적인 결과다. '읽고 쓰는 것'은 행위가 아니라 인과관계이다. 내 안의 바틀비가 죽지 않을 수 있도록 오늘도 읽고 써야 한다.

나는 내가 길어 올린 문장과 교감한다!

『빛과 물질에 관한 이론』을 읽고

오래전 건축설비 회사에 근무할 때 일이다. 지방의 한 현장에서 무전기를 불법으로 사용했다고 과태료 고지서가 날아온 적이 있었다. 당황스러웠다. 다섯 개가 넘는 현장이 모두 무전기를 사용하는데 과태료 고지서를 처음 받았기 때문이다. 이야기인즉슨 그 현장은 현장 여건상 무전기를 많이 사용했는데 그 지역전파관리소의 모니터링에 걸렸다는 것이다. 채널이 같고 주파수 도달거리 내에 있으면 서로 통신으로 주고받는 내용을 누구나 들을 수 있는 게 무전기이기 때문이다.

이 책은 물리학 노교수와 수강하는 젊은 여학생 간의 사랑 이야기다. 하지만 읽을수록 기대하는 데로 이야기가 흘러가지 않는다. 단조로움이 지루함으로 이어진다. 읽다 보면 사랑 이야기라기보다 인간관계에 대한 내용으로 보이기까지 한다. 왜냐하면, 그 사랑이 내게 와 닿지 않기 때문이다.

지루한 듯하다가 무언지 다른 소설과 다르다는 것을 느끼게 된다. 노교수와 여학생의 묘한 관계가 뻔한 결말을 내지 않기 때문이다. 남녀 사이에 육체관계를 하지 않는 까닭이다.

오히려 젊은 여학생 헤더는 대학생 콜린과 연인이 된다. 그와 사랑을 나누기 시작한다. 그렇다고 육체관계는 약혼자와 하고 노교수와는 정신적인 사랑을 나누었다는 진부한 이야기도 아니다.

주인공과 연애를 하는 노교수는 어떤 사람이었을까? 결국, 그는 젊은 여학생과 육체관계로 가기 위해 지난한 과정을 견뎌내는 노회하고 노욕을 지닌 남자일까? 아니라면 정말 인생에 대한 대화가 즐거워 여학생과 관계를 유지하는 걸까?

책을 다시 읽어봐도 노교수 로버트의 마음을 알기 어려웠다. 그가 주인공인 헤더를 어떤 대상으로 생각하는지 좀처럼 파악할 수 없었다. 하지만 중요한 건 노교수와 주인 공간에 이어지는 교감이 있다는 것이다. 연인의 사랑을 뛰어넘는 그 교감이 그에게 어떤 의미일까?

여주인공도 마찬가지다. 노교수에게 전적으로 빠지지 못한다. 그렇다고 관계를 끊어내지도 못한다. 물리적으로 끊어질 때까지 끌려가는 느낌이다. 노교수와 육체적인 관계를 맺기 위한 시도가 실패로 끝나자, 그와 관계를 끝내는 듯 보이기도 한다.

이 단편은 분명 연애 소설이다. 그럼에도 끈적이지 않는다. 무미건조한 모래사장이 이어지는 듯하지만 여기저기서 반짝이는 것들이 보인다. 그 반짝임이 끝없이 펼쳐진 모래사장이 지루하지 않게 한다.

아쉬운 것은 그 반짝임을 보았을 뿐이라는 것이다. 반짝이는 것이 무엇인지 왜 반짝이는 건지 잘 보이지 않기 때문이다. 로버트와 헤더의 마음이 보이다 말다 한다. 마치 기지국을 살짝 벗어나 음성이 끊겼

다가 들렸다 하는 핸드폰처럼 말이다.

주인공과 노교수의 교감은 마치 무전기의 같은 채널을 사용하는 것과 같다. 주파수의 허용 반경 안에서는 상대방이 누구에게 이야기하든 들릴 수밖에 없기 때문이다. 둘의 감정이 끊어지지 않고 이어지는 이유다.

나와 내가 길어 올린 문장과의 관계가 마치 이와 같다. 애정보다 더 강한 교감이 이어지는 로버트와 헤더의 관계처럼 나와 '문장'과 교감이 끊이지 않는 까닭이다. 나는 길어 올린 문장을 볼 때마다 아쉽다. 그럼에도 글쓰기를 중단할 수는 없다. 낯설지만 내가 흐릿하게 보이는 나의 문장은 새로운 생각을 길어 올리는 까닭이다.

마침표는 문장을 마무리할 뿐, 문단은 계속된다!

『모리와 함께한 화요일』을 읽고

암은 착한 병이라고 한다. 인생을 정리할 시간을 주기 때문이다. 반면에 '혈관질환'이 가장 고통스럽고 잔인하고 두려운 병이다. 홍혜걸 박사가 세바시 강연 "당신의 혈관이 깨끗해야 하는 이유"에서 한 이야기다. 그는 혈관병이 제일 잔인한 이유를 두 가지로 꼽았다. 첫 번째는 유언을 남길 시간도 주지 않고 예고 없이 오는 병인 까닭이다. 두 번째는 반신불수 뇌사 괴사 등 결과가 처참하다(그러나 의식은 있다)는 내용이다.

사실 죽음에 이르게 하는 병은 무섭지 않은 병이 없다. 죽는다는데 그보다 고통스러운 게 어디 있을까. 생각만 해도 끔찍하다. 그럼에도 이 책의 모리 교수가 겪은 루게릭병은 감히 '착한 병'이라고 말하고 싶다. 사랑하는 사람과 작별할 시간을 충분히 주었기 때문이다. 게다가 자신의 지혜를 정말 많은 사람에게 남길 기회까지 선물한 까닭이다.

루게릭병은 척수신경 또는 간뇌의 운동 세포가 서서히 지속해서 파괴되어 이 세포의 지배를 받은 근육이 위축되어 힘을 쓰지 못하게 되는 원인 불명의 불치병이다. 바로 영국의 세계적인 물리학자였던 스티븐 호킹이 앓은 병이다.

그 병을 앓는 모리 교수와 그의 제자 미치 앨봄의 대화를 기록한 책이 바로 <모리와 함께한 화요일>이다. 이 책을 읽다가 <이어령 교수의 마지막 수업>을 떠올렸다. <이어령 교수의 마지막 수업>과 이란성 쌍둥이처럼 느껴졌기 때문이다. 죽음을 앞두고 자신의 지혜를 사람들에게 알려주는 모습이 너무도 닮았다. 대화이지만 '마지막 수업'을 언급함으로써 저자가 그분들의 지혜를 배우는 것임을 명확히 하고 있다.

물론 이 책이 먼저 출간되었다. <이어령의 마지막 수업>에서 작가 김지수는 자신의 책에 <모리와 함께한 화요일>과 비슷한 컨셉이 있음을 언급하기도 했다. 쌍둥이 느낌이 날 수밖에 없다.

하지만 분명 두 책 사이에는 다른 점이 있다. 이 책이 생의 마침표에 방점이 있다면 <이어령 교수의 마지막 수업>은 생이 죽음으로 넘어가는 쉼표이다. 이어령 교수의 기독교적 가치관이 진하게 배어 나오는 까닭이다. 내가 '이란성'이라고 생각하는 이유다.

이 책은 그렇게 마침표를 향해 달려간다. 모리교수는 새로운 정차역에 도착할 때마다 자기 삶이 몇 정거장 남지 않았음을 잊지 않으며 자신의 지혜를 토해낸다. 그는 마주하는 상황에서 남은 정거장을 세기보다는 그곳에서 깨닫게 되는 지혜를 길어 올린다. 그의 통찰에 책을 놓지 못하는 이유다. 그리고 그는 마침내 마침표를 찍어낸다.

이 책은 분명 마침표를 찍지만, 그것이 끝이 아님을 알려준다. 마침표는 문장이 끝났음을 나타내는 부호이지 문단을 마무리했다는 의미는 아니기 때문이다.

문단이 끝나지 않으리라는 것을 알 수 있는 대목이다. 모리 교수가 말한다.

"하지만 이 모든 것들을 전부 우연이라 믿기에는 우주란 너무 조화롭고 웅장하고 압도적이군."

모리 교수는 한때 죽음이 차가운 마지막이라고 믿었다고 한다. 그렇게 무신론자였던 모리 교수가 예전의 입장과 다르게 느낀다는 것이다.

생을 마감할 날을 얼마 남겨두지 않고 모리 교수는 저자에게 말한다.

"내 무덤에 찾아올 거지? 그리고 나한테 자네가 가진 문제를 털어놓고 말할 거지?"

"제가 가진 문제요?"

"그래"

"그럼 선생님이 대답해 주실 거예요?"

"내가 줄 수 있는 건 다 주겠네. 언제는 안 그랬나?"

저자는 그의 마침표 뒤에 다음 문장을 이어 나가야 하는 것이다. 그렇게 모리 교수의 수업은 계속된다.

교수의 마침표 뒤에 문장은 저자만 쓰는 게 아니다. 독자인 우리도 그 문장을 이어가야 한다. 모리 교수의 지혜는 독자에게 흘러나와 통찰이 되는 까닭이다. 아니, '우리'보다는 '나'다. 세상을 살면서 끊임없이 문제를 마주하게 되고 그 문제를 풀어내는 시간이 힘겨워 사는 게 '나'이기 때문이다. 그런 '나'를 위해, 모리 교수는 이 책을 통해 문제를 풀 수 있는 공식을 알려주고 떠난다.

또한, 모리 교수의 죽음 뒤에도 그의 수업이 계속되고 있다. <모리와 함께한 화요일>이 36개 나라에서 31개 언어로 출판되어 판매되고 있는 것만 봐도 알 수 있다. 그것이 바로 모리 교수의 '마침표' 뒤에 다음 문장이 이어지고 있다는 증거다.

모리 교수가 찍은 마침표 뒤에 문장을 이어가는 시간이 이제 시작된다!
저자는 [에필로그]에서 말한다.

"이따금 내 노은사를 다시 찾아뵙기 전의 나를 돌아본다. 난 이전의 그(이전의 미치)에게 말하고 싶다. 무엇을 찾아야 할지, 어떤 실수를 피해야 할지 그에게 말해주고 싶다. 더 마음을 열라고. 광고로 인해 만들어진 헛된 가치에 유혹되지 말라고. 사랑하는 사람이 말할 때는 생애 마지막 이야기인 양 관심을 기울이라고 말해주고 싶다."

나도 그렇다!

모성, 본능과 학습 그 사이 어딘가에…

『모성』을 읽고

내 혈관 속 DNA가 말해 줘
내가 찾아 헤매던 너라는 걸
· · · · ·
난 너에게만 집중해
좀 더 세게 날 이끄네
태초의 DNA가 널 원하는데
이건 필연이야

방탄소년단의 히트곡 <DNA> 가사의 일부다. 연인

에게 한눈에 반한 건 본능이었다고 말한다. 네이버 사전에 의하면, 본능은 어떤 생물 조직체가 선천적으로 하게 돼 있는 동작이나 운동. 아기가 젖을 빤다든지 병아리가 알을 깨고 나오는 행동 따위를 말한다. 쉽게 말하면 본능은 배우지 않아도 아는 것이다. 남녀 관계가 그렇다고 방탄소년단의 <DNA>가 노래한다.

우리는 누구나 본능에 대해 알고 있다. 갓 태어난 아기만 봐도 알 수 있다. 어느 누가 알려주지 않아도 엄마 젖에 갖다 대면 힘차게 빨아서 소화한다. 보는 엄마를 흐뭇하게 한다.

이 책은 모성을 여성이 자신이 낳은 아이를 지키고 길러내려고 하는 어머니의 본능적 성질이라고 정의한다. 본능은 생존을 위한 것이다.

좀 더 분류하자면 본인의 생존을 위한 본능과 종족 유지를 위한 본능이 있다. 이 책의 주제인 모성은 종족 유지를 위한 본능이겠다. 굳이 과학적인 수치를 갖다 대지 않아도 당연히 안다. 역사적으로 모성을 증명하는 일들이 끊임없이 이어졌고, 우리의 일상에서도 이어지고 있는 까닭이다.

하지만 미나토 가나에의 <모성>은 이런 단순한 상식을 흩트려 놓는다. 모성의 의미부터 흔든다. '모성이 본능이 아닌가?' 이런 생각이 들기 시작하는 이유다.

이 책을 읽다가 <멋진 신세계(올더스 헉슬리)>가 떠올랐다. <멋진 신세계>는 과학 문명의 발달이 인간의 비극이 되는 디스토피아 책이다. 이 책에서는 인간이 태어나자마자 '본능'을 말살하기 위해 훈련을 시킨다. 이른바 '조건반사 훈련'이다.

"우리는 또한 계급을 미리 정하고 조건반사 습성을 훈련시킵니다."
인간의 본능을 말살해서 자신들이 지배하기 편리하게 정해놓은 계급에 맞게 조건반사 훈련을 시킨다. 마치 '파블로프의 개'처럼 말이다. 그렇게 자신들이 만들어 놓은 세계의 질서를 유지해 나간다.

모성이 종족 유지 본능이라면, 그런 행동이 이어져야 한다. 하지만 이 책의 엄마는 그렇지 않아 보인다.

오히려 자신을 조건반사 훈련에 내놓은 듯 보인다.

"너를 낳고부터 내 불행은 시작했어!"

이 문장이 '조건반사 훈련을 시작했어!'라고 읽히는 이유다.

이 책에 몰입할수록 모성은 본능이 아니라 학습의 결과라는 쪽으로 기울게 된다. 아니 학습보다는 '강요'에 의한 감정처럼 보인다. 나는 일본의 문화를 잘 알지 못하지만, 그 관습도 영향을 끼쳤을 듯하다.

반면에 딸의 입장에서 보면, 그녀는 끊임없이 엄마의 사랑을 갈구한다. 그 딸의 사랑을 엄마는 외면한다. 오히려 방어기제의 우산을 펼친다. 마치 딸의 엄마에 대한 사람이 공격인 것처럼 말이다. 딸은 끊임없이 슈팅을 날리지만, 엄마는 하나도 놓치지 않고 막아낸다.

이 책을 두 번 읽었지만 깔끔하게 정리가 되지 않는다. 작가가 모성은 본능이 아니라 학습되는 감정이라고 주장하는 것인지. 아니면 모성이라는 본능을 지우기 위해 '조건반사 훈련'처럼 노력했다는 건지 알 수 없다.

어쨌든 책을 다 읽었으니 모성에 대한 내 생각을 마무리해야 한다. 모성이라는 본능은 엄마의 기억이나 둘러싼 환경 등에 의해 드러나지 않을 뿐이라고 정리한다. 모성은 학습이나 강요에 의한 것이 아니기 때문이다. 방탄소년단의 <DNA>처럼 남녀 간에도 서로 끌리는 게 본능인데, 엄마와 자녀 인사이에 끌림이 없을 수 없을 수 없는 까닭이다.

이 책은 맑은 시냇물에 비춘 달빛 같다. 선명하게 보이면서도 자세히 들여다보면 흐릿하게 보이는 까닭이다. 모성도 본능이지만 흐릿하게 학습에 의한 모습도 보인다.

아마도 그게 우리의 삶이겠지 싶다!

효율의 노예가 되는 디스토피아, 오늘을 보여준다!

『멋진 신세계』를 읽고

개를 좋아하는 사람에게는 개가 더 똑똑하다고 알려주고, 고양이를 좋아하는 사람에게는 고양이가 더 그렇다고 알려준다.

"에이 어떻게 한 입으로 두말을 할 수 있어. 뻔뻔하기도 하네"라고 말할 사람도 있겠다. 하지만 누구나 다 사용하는 검색엔진에서 그렇게 한다. 알고리즘이 그렇게 보여주게 만드는 거다. 가짜 뉴스가 차고 넘치는 이유다.

지금은 알고리즘의 시대다. 보이는 게 다 진실이라고 믿어서는 안 되는 세상이다. 알고리즘은 돈을 벌기 위한 설계이기 때문이다. 분별력이 필요한 이유다. 그렇지 않으면 욕망의 알고리즘에 노예가 된다.

그렇게 알고리즘의 노예들이 사는 나라 이야기가 있다. 그곳에서는 거의 모든 사람이 자신이 '멋진 신세계'에 살고 있다고 믿는다. 바로 올더스 헉슬리의 소설 <멋진 신세계>다. 이 책에 등장인물들의 대부분은 자신이 행복한 삶을 누리고 있다고 생각한다.

더욱 놀라운 것은 그 세계가 계급사회라는 데 있다. 알파, 베타, 감마, 델타, 엡실론 다섯 종류의 계급이다. 최고의 우등계급인 알파부터 열등 계급인 엡실론까지 인구수마저 통제되어 생산된다. 이런 경우 우월한 계급을 가진 사람들만 행복하고 하류층의 계급은 우울한 잿빛일 듯하다. 하지만 <멋진 신세계>에서는 어떤 계급에 속했든 간에 자신이 행복하다고 생각한다고 한다.

예를 들면 주인공중에 한 명인 레니나는 베타 계급이다. 그녀는 엡실론 계급이 되지 않은 것이 행복하다고 말한다. 하지만 동료인 헨리의 말이 의미심장하다. *"만일 레니나가 엡실론 계급이었다면, 레니나가 받은 조건반사적 습성 훈련은 베타나 알파가 아닌 계급으로 태어난 것을 고맙게 생각하게 되어 있을 거야."*

그렇다. <멋진 신세계>에서는 누구나 자신의 계급에 만족하도록 태어날 때부터 '조건반사 훈련'에 의해 세뇌된다. 아니 태어날 운명마저 선택받는다. 그러니까 어느 계급이든 권력자에 의해 조정될 뿐이지, 그 계급을 누리는 것은 아니다. 통치자 무스타파 몬드와 세계 통제자 10명 정도만이 특별한 지배계급일 뿐, 나머지는 주어진 자신의 역할을 하는 피지배자들에 불과할 뿐이다.

그러니까 알파와 베타 계급도 빛 좋은 개살구일 뿐 최하위 앱실론계급과 별다르지 않다. 어떤 계급이든 똑같다. 조건반사 훈련을 통해 통제되는 신세에 불과하다.

그렇다면 어떻게 출생부터 죽음까지 모든 것이 통제가 가능할까? '효율성'이 지배하는 사회이기 때문이다. <멋진 신세계>에서 우상과도 같은 역할을 하는 포드의 컨베이어벨트가 너무도 상징적으로 잘 보여주고 있다.

이 책의 키워드는 효율성이다. '효율성'은 인풋과 아웃풋의 관계를 따진다. 넣은 것에 비해 나오는 것이 많을수록 효율이 높다고 말한다. 들인 노력보다 얻은 결과가 좋은 것을 의미한다.

효율의 뒤끝을 우리는 잘 알고 있다. 우리도 겪었기 때문이다. 1970~80년대 군사독재 시대의 '압축성장'이 그랬다. 효율만 따지고 앞만 보고 달리느라, 그 속도를 따르지 못하는 사람들은 도태시켰다. 그 속도를 이겨낸 사람들은 부자가 되고 그렇지 못한 사람들은 도태가 되었다. 부익부, 빈익빈의 시대를 열었다. 재산뿐 아니라 인권도 그렇게 속도에 밀려 존중받지 못했다.

포드의 컨베이어 벨트가 바로 그렇다. 효율을 위해 사람도 기계 부속의 역할을 한다. 같은 시간에 더욱 많은 생산품을 만들어 낼 수 있도록 고안된 시스템이 바로 이 '컨베이어 벨트'이기 때문이다.

컨베이어 벨트는 효율만 뜻하는 것은 아니다. '공유, 균등, 안정'이라는 <멋진 신세계>의 가치도 컨베이어 벨트에서 출발한다. 하지만 컨베이어 벨트 같은 삶은 지루하기 마련이다. 인간은 욕망을 품고 사는 까닭이다. 아무리 '조건반사 훈련'을 해도 욕망을 완전히 감출 수 없는 까닭이다.

<멋진 신세계>에서는 그런 욕망을 '소마'로 해결한다. 욕망을 누르도록 조건 반사 훈련을 하고, 그래도 튀어 오르는 욕망은 '소마'로 터뜨려 준다. 컨베이어 벨트와 같은 삶을 '소마'로 멋진 신세계라고 포장한다. 마치 병 주고 약주는 격이다.

멋진 신세계에 사는 사람들은 자신들이 '사람답게 산다'고 생각한다. 그들은 자신도 대량생산을 위한 기계 문명의 도구가 아니라고 믿는다. 시민들은 자신이 컨베이어 벨트가 아니라는 것을 '소마'로 입증한다. 과연 그럴까?

1932년도에 올더스 헉슬리가 던진 질문에 오늘을 사는 우리들이 대답할 차례다!

part 5

이 경 진

제1책

안 하는 편을 택하면 어떻게 될까?

허먼 멜빌의 『필경사 바틀비』

이 책은 '안 하는 편을 택하겠습니다' 혹은 '하지 않는 게 낫겠습니다'로 유명한 책이다. 모비 딕의 작가 허먼 멜빌의 또 다른 명작으로 꼽히는 '필경사 바틀비'이다.

필경사란 직업이 흔하지 않은 요즘이라 필경사에 대한 설명을 먼저 하자면 '글씨 쓰는 일을 직업으로 하는 사람'을 말한다. 이 단편소설은 1853년에 쓰인 작품이다. 그때 당시 서류들은 사람이 직접 필사했었다. 소설의 주인공 바틀비의 직업이 바로 필경사다.

고전은 있는 그대로를 받아들이기에는 무리가 있다. 작가의 의도가 명확하다면 좋겠지만 그렇지 않을 때 해석 여부가 분분하다. '필경사 바틀비' 또한 많은 해석이 있어서 갈피를 잡기 어려울 수도 있지만 다르게 생각하면 내 마음대로 해석해도 상관없다는 이야기다. 그래서 내 마음대로 해석해 봤다.

"안 하는 편을 택하겠습니다."

변호사 사무실에 필경사로 들어온 바틀비는 맡은 일을 성실히 잘하는 사람이다. 어느 날 변호사가 필사한 문서를 맞추기 위해 바틀비에게 부탁했으나 그의 대답은 의외였다. "안 하는 편을 택하겠습니다." 이후에도 바틀비는 계속 안 하는 편을 택한다며 거부했고 필사도 안 하게 되었다.

바틀비를 해고했지만, 해고마저 거부한 그를 쫓아낼 수 없었던 변호사는 다른 건물로 이사를 했다. 이후에 다른 사무실이 들어왔는데 아무것도 하지 않고 마치 귀신처럼 그 자리에 있던 바틀비는 신고당해서 감옥에 가게 된다. 감옥에서 음식을 안 먹는 걸 택한 그는 죽음을 맞이한다.

이후 변호사가 들은 하찮은 소문 하나.

바틀비는 워싱턴의 배달 불능 우편물 취급 부서의 하급 직원으로 일하다 운영 방침이 바뀌면서 갑자기 해고당했다. 배달할 수 없는 죽은 편지들! 그 말은 마치 죽은 사람들이라는 말처럼 들리지 않는가? 선천적으로, 불운으로 무력한 절망 상태에 빠지기 쉬운 사람들을 떠올려 볼 때, 끊임없이 그런 죽은 편지들을 취급하고, 그것들을 분류해서 불태우는 일보다도 더 그런 절망감을 부채질만 한 일이 달리 또 어디 있겠는가?

생명과 구원의 소식을 담은 그 편지들은 신속히 죽음의 나락으로 떨어지고 만다.

아, 바틀비여! 아, 인류여!

이 소설은 자본주의 중심의 뉴욕 월가에 자리 잡은 변호사 사무실에서 일어나는 필경사 바틀비의 짧은 인생 이야기다. 많은 해석이 존재하지만 나는 오직 바틀비의 심리에 초점을 맞춰 이야기하려고 한다.

마지막 변호사가 들은 하찮은 소문에서 바틀비가 반송되어 온 우편물을 폐기하는 직업을 가졌다고 나온다. 그가 죽은 편지들을 보며 어떤 마음이었을까? 버려지는 편지들을 보며 불안감, 절망감, 죽음 등 부정적인 생각들이 그를 옥죄어 왔을지도 모른다.

그가 갑자기 해고당했을 때, 변호사 사무실이 이사하고 혼자 남겨졌을 때, 감옥으로 보내졌을 때 그의 마음은 어땠을까? 죽음 직전 어떤 주마등으로 생을 마감했을까?

하지만 그는 그렇게 불행한 사람은 아니었다는 생각이 든다. 우체국에서 모습과 필경사로의 모습은 완전히 다르기 때문이다. 그는 단단해졌고 자기 주도적인 모습을 보인다.

우체국에서는 시키는 대로 했지만 돌아온 건 절망

과 해고였다. 필경사로 일했을 때는 그가 시키는 것이 아닌 자신이 선택한 일만 함으로써 자본주의에서의 쓰임새로 소모되는 것이 아닌 자신의 이름이 확실한 인생을 살 수 있었다고 생각한다.

이 소설 속에서 이름이 언급된 사람은 바틀비가 유일하다. '안 하는 편을 택하겠습니다'라는 감정이 아닌 선택을 한 그는 어쩌면 가장 적극적인 삶을 살았을지도 모르겠다.

'필경사 바틀비'에 대한 가장 많은 해석은 자본주의에 대한 개인의 소극적인 반항이다. 지극히 개인적인 생각으로 그가 반항했다기보다 자본주의를 역이용하여 자신의 이름을 남긴 똑똑한 사람이라고 생각한다.

내가 바틀비를 보며 깨달은 것은 불안과 절망 속에서도 우리는 선택의 자유가 항상 있다는 것이다.

스스로 생각하라. 그리고 선택하라. 그대는 자유다.

제2책

사랑을 정의할 수 있을까?

앤드류 포터의『빛과 물질에 관한 이론』

앤드류 포터 작가의 데뷔작 '빛과 물질에 관한 이론'은 단편소설을 엮은 책이다. 플래너리 오코너상을 수상했을 정도로 인정받은 소설이다.

우리나라에서 2011년 출간되었지만, 인기가 없어 절판됐다가 '김영하의 책 읽는 시간'에 소개된 이후 다시 재출간된 책이기도 하다.

여담이지만 처음 책 표지를 보고 여자가 인어인 줄 알았다. 다시 보니 비둘기가 이불을 들고 있는 거였다. 독특한 커버라 기억에 남을 것 같다.

이 책은 뭔가 아련하면서 슬프기도 하고 왜라는 질문이 통하지 않는 답답함이 있기도 한 내용이었다. 그게 매력이라면 매력이라고도 할 수 있겠다.

로버트 교수는 시험을 거부하는 다른 학생들과 달리 혼자 끝까지 문제를 푼 헤더에 차 한 잔을 권한다. 그들은 물리학으로 많은 대화를 나눴고 즐거움을 느꼈다. 이후 그들의 만남은 지속되었고 헤더는 로버트의 아파트 열쇠까지 받게 된다. 어떠한 육체적 접촉이 없이 다양하고 깊은 주제로 대화를 나누며 정신적인 교감을 한다.

문제는 헤더에게 콜린이라는 남자친구가 있다는 것이다. 같은 학교의 수영선수이며 누가 봐도 멋지고 인기가 많은 심지어 앞으로 의사가 될 전도유망한 남자였다. 어느 날 밤 한 술집에서 로버트와 헤더가 한 손을 잡고 즐겁게 대화를 나누는 모습을 콜린이 목격한다. 그날 새벽 콜린은 헤더에게 찾아와 이렇게 말한다. *"네가 그 사람과 무엇을 했든 상관하지 않아. 알고 싶지도 않고. 하지만 다시는 그 사람을 만나지 않겠다고 약속해 주면 좋겠어."* 헤더는 약속했고 더 이상 로버트와 만나지 않는다.

이후 헤더와 콜린은 결혼했지만, 행복하지도 불행하지도 않은 생활을 이어간다.

> 내가 몇 살인지 알아요. 헤더?"
> 나는 그를 쳐다봤다.
> "부친보다 나이가 많을 수도 있어요."
> "그런 뜻은 아니었어요."
> "난 당신과 얘기하는 것이 좋아요." 그는 마치 내 말을 듣지 못한 듯이 말을 이어갔다. "그게 다예요. 나는 우리의 대화가 즐거워요. 당신 역시 즐거워한다고 생각하고."
> 나는 고개를 끄덕였다. -p102-

돌이켜보면, 그날 밤 이후 내가 우울증에 빠졌다고 여겨질 수도 있겠으나, 서서히 형성되어 가고 있던 내 삶을 체념하듯 받아들이게 되었을 뿐이라고 생각한다.

-p117-

다른 사람이 당신을 채워줄 수 있다거나 당신을 구원해 줄 수 있다고 -이 두 가지가 사실상 다른 것인지는 모르겠지만- 추정하는 것은 순진한 생각이다. 나는 콜린과의 관계에서 그런 식의 느낌을 받아본 적이 없다.

-p125-

단편소설 중 책 제목과 같은 '빛과 물질에 관한 이론'을 소개했다. 여기서 물리학은 중요한 역할을 한다. 헤더의 전공이 물리학이고 로버트는 물리학 교수이기 때문이다. 그들의 대화도 물리학으로 시작한다. 폭넓게 그리고 마음 깊이 숨겨두었던 이야기들을 하며 너무나 즐거웠던 시간. 아슬아슬하고 닿을 수 없는 애틋함. 하지만 현실로 돌아오면 남부러울 것 없는 남자친구가 있다.

사람은 누구와 있을 때 행복할까? 경제적으로 어려움 없이 편하게 지낼 수 있는 사람? 대화가 정말 잘 통해 시간 가는 줄 모르고 빠져드는 사람? 어려운 문제다.

헤더와 콜린의 이야기는 리쌍의 '헤어지지 못하는 여자, 떠나가지 못하는 남자'가 생각나게 했다.

사랑이란 무엇일까? 사랑을 정의할 수 있을까? 헤더에게 물리학은 무엇이었을까? 그녀의 선택은 사랑이었을까? 그 선택을 후회하지 않았을까? 그녀는 행복했을까?

이 소설은 질문에 대답도 없이 답답함으로 끝나 버렸다. 어떤 느낌이 들어야 맞는 건지 나도 잘 모르겠다. 애잔한 여운만 간직한 채 책을 덮었다.

제3책

인생에서 가장 중요한 건 무엇일까?

미치 앨봄의 『모리와 함께한 화요일』

미치 앨봄 작가는 세계적인 베스트셀러 작가이자 에미상을 수상한 방송인이며 인기 칼럼니스트이다. 젊은 시절 스포츠 칼럼니스트로 데뷔한 이후 라디오와 ABC TV 등 여러 방송 매체에서 진행자로서 두각을 나타냈고, 그러던 중 '모리와 함께한 화요일'의 실제 주인공 모리 슈워츠 교수와의 만남을 계기로

세속적인 성공만 추구하던 삶에 변화를 겪게 됐다. '모리와 함께한 화요일', '천국에서 만난 다섯 사람' 등 그의 대표작은 전 세계 41개국에서 42개 언어로 출간되어 수천만 독자에게 용기와 희망을 안겨주었다.

이 책을 처음 읽었던 건 20년 전쯤이었던 것 같다. 우리나라에서는 출간되자마자 화제가 되었던 책이다. 최고의 자기계발서라는 찬사와 함께 오랫동안 베스트셀러에 있던 책이었다.

책을 다시 읽게 되었을 때 이런 내용도 있었나라는 생각도 들고 미처 생각하지 못한 부분에서 나와 같은 가치관을 가진 모리 교수의 말을 보는 것도 신기했다.

20대 초중반에 베스트셀러였던 책들을 다시 읽으면 놀라게 된다. 세상은 비교할 수 없을 만큼 발전했고 또 발전하고 있다. 그럼에도 인간의 생각과 가치관, 신념, 인생에서 중요한 것은 변치 않았다.

모리 교수와 미치의 마지막 프로젝트는 그때나 지금이나 인간에게 가장 중요하고 소중한 것을 일깨워

준다. 그분의 가르침이 지금까지도 많은 감동을 주는 건 우리가 가져야 할 '그것'이 없기 때문인 것 같다.

> 마음을 나눌 사랑을 찾았나?
> 지역 사회를 위해 뭔가를 하고 있나?
> 마음은 평화로운가?
> 최대한 인간답게 살려고 애쓰고 있나?
>
> -모리와 함께한 화요일 중-

미치는 대학교 시절 모리 교수와 만나 친구가 되었다. 졸업 후에도 연락하겠노라며 헤어졌다. 하지만 미치는 사회생활을 하며 돈 버는 일에만 집착했다.

오랜 세월이 흐른 후 미치는 우연히 TV 채널을 돌리다 유명 토크쇼 '나이트라인'의 테드 코펠이 모리 교수를 인터뷰하는 것을 보게 됐다.

모리 교수는 루게릭병을 앓고 있었고 생이 얼마 남지 않은 상황이었다. 미치는 모리 교수를 찾아갔고 그렇게 화요일의 프로젝트가 시작되었다.

"미치, 어떻게 알지도 못하는 사람들이 마음에 걸리느냐고 물었지? 내가 이 병을 앓으며 배운 가장 큰 것을 말해 줄까?"
"그게 뭐죠?"
"사랑을 나눠 주는 법과 사랑을 받아들이는 법을 배우는 게 인생에서 가장 중요하다는 거야." -p92-

"미치, 어떻게 죽어야 할지 배우게 되면 어떻게 살아야 할지도 배울 수 있어." -p129-

"서로 사랑하지 않으면 멸망하리." -p140-

"그런데 많은 젊은이들은 이런 비참함을 겪는 것으로도 모자라 아둔하기까지 하지. 인생에 대해 이해하지도 못해. 세상이 어떻게 돌아가는지를 모르는데 누가 매일 살아가고 싶겠나? 이 향수를 사면 아름다워진다거나 이 청바지를 입으면 섹시해진다고 말하면서 조작해 대는데 바보처럼 그걸 믿다니! 그런 어처구니없는 일이 또 어디 있겠어?" -p173-

"미치, 만일 저 꼭대기에 있는 사람들에게 뽐내려고 애쓰는 중이라면 관두게. 어쨌든 그들은 자네를 멸시할 거야. 그리고 바닥에 있는 사람들에게 뽐내려 한다면 그것도 관두게. 그들은 자네를 질투하기만 할 테니까. 어느 계층에 속하느냐 하는 것으로는 해결되지 않아. 열린 마음만이 자네를 모든 사람들 사이에서 동등하게 만들어 줄 거야." -p184-

"난 자네 세대가 안쓰럽네. 이런 문화 안에서 다른 사람과 사랑하는 관계에 빠지기란 참으로 힘들지. 왜냐하면 문화가 우리를 그렇게 이끌어 주지 않으니까 말이야. 요즘 가여운 젊은이들은 너무 이기적이어서 진심으로 사랑하지 못하든가, 아니면 성급하게 결혼하고는 대여섯 달 후에 이혼을 하든가 둘 중 하나를 택하네. 그들은 상대방이 뭘 원하는지를 몰라. 하긴 자기가 진정 누구인지도 모르니 결혼하려는 사람이 어떤 사람인지 어떻게 알겠나?" -p208-

"그리고 우리가 용서해야 할 사람은 타인만이 아니라네. 미치, 우린 자신도 용서해야 해." -p231-

모리 교수의 열네 번의 인생 수업의 핵심은 '서로 사랑하지 않으면 멸망하리'다. 위에서 언급한 그것은 바로 '사랑'이다. 책을 읽는 내내 그 노래가 생각났다.

돈, 명예, 사랑 중에 사랑이 제일 낫더라.

열네 번의 인생 수업의 제목은 달랐지만, 그 안에 메시지는 같았다. 사랑이 중요하다는 것이다. 요즘은 너무 흔해서 가치가 훼손된 느낌이지만 인간에게 가장 필요한 것은 역시 사랑이다.

사랑하고 있습니까? 이런 질문을 받는다면 자신 있게 사랑하고 있다고 말할 수 있을까? 나를 포함해 모두가 사랑하길 바란다. 모리 교수의 말씀처럼.

제4책

모성은 본능일까?

미나토 가나에의 『모성』

2013년에 출간한 모성은 100만 부 넘게 팔린 밀리언 셀러다. 영화로도 나와 다시 한번 화제가 되었다. 리뷰를 몇 번 보긴 했지만 크게 관심이 있지는 않았다. 모성이라는 제목도 그렇고 '죽을 만큼 죽일 만큼 서로를 사랑했던 엄마와 딸'이라는 부제가 끌리지 않은 이유 중 하나였다.

그럼에도 불구하고 작가의 역량으로 모든 것을 덮을 만큼의 내용이었다고 생각한다. 하지만 마지막 결말에서 아쉬운 부분이 있었다.

미나토 가나에 작가는 결혼 후 데뷔했다. 2007년 '성직자'라는 단편으로 추리 소설 신인상을 받은 것을 시작으로 이듬해 첫 장편소설 '고백'을 출간해 350만 부가 판매되며 신드롬을 일으켰다.

작가는 추리 소설 전문가답게 모성이란 작품도 엄마와 딸의 이야기를 각자의 시점에서 감춰진 진실과 심리묘사를 긴장감 있게 풀어나간다. 그래서인지 처음에는 집중이 안 됐지만, 언덕 위의 집에서 태풍과 화재가 난 시점부터는 속도감 있게 읽어나갔다.

모성이란? 여성이 자기가 낳은 아이를 지키고 길러내려고 하는 어머니로서의 본능적 성질.

어머니의 고백.
내 몸속에 다른 생명체가 있고, 그 생명체가 이제부터 내 피와 살을 빼앗으며 성장해 나간다는 것. 그리고 언젠가 내 몸을 뚫고 이 세상으로 나온다는 것. 그때 나

는 살아 있을까? 새로운 생명체에게 모든 것을 빼앗기고 나라는 인간의 껍데기만 남는 게 아닐까? -p28-

인생에서 가장 행복한 날이었습니다. 사실은 그게 바로 불행의 시작이었는데도 말이죠. -p32-

딸의 독백.
어떻게 하면 내 존재를 받아들여 줄지 생각했다. 엄마가 날 인정해 주지 않는다면, 나라도 나 자신을 긍정해 주어야만 했다. 나 자신을 좋아해야만 했다. 그러려면 내가 좋아하는 사람처럼 되어야만 한다. 내가 엄마처럼 된다면 나 자신을 좋아할 수 있게 될까? -p242-

진실을 알고 있던 아버지와 히토미. -p292-
"네 엄마는 어머니와 딸 중에서 어느 쪽을 구할 건지 망설였어. 그런데 불길은 코앞까지 다가와 있었지. 네 외할머니는 엄마가 널 구하게 하려고 스스로 목숨을 끊은 거야."
"거짓말! 외할머니는 그때 움직일 수 없었어!"
"혀를 깨문 거야. 네 엄마는 소중한 어머니가 돌아가셨다는 것보다도, 그 어머니가 널 지켰다는 걸 용서할 수 없었던 게 아닐까? 사랑하는 사람이 마지막에 자신을 선택하지 않았다는 사실을 인정해야만 했을 테니…."

오래전에 읽은 책이라서 제목이 기억나지 않지만, 모성에 관한 연구를 한 책이었다. 여성의 모성은 본능이라고 당연하게 생각하지만 실제로 그렇지 않다는 것이다. 여성의 인구 30%가 선천적으로 모성을 가지고 있으며 50%는 후천적으로 모성이 생기고 20%는 선천적으로도 후천적으로 모성을 가질 수 없다고 한다.

모성이 없는 20%의 여성이 아이를 낳을 경우, 방치와 학대가 이루어질 가능성이 높은데 실제로 아이를 학대한 여성을 조사한 결과 모성이 전혀 없다는 연구도 있었다. 책을 기억하지 못하지만, 이 수치를 기억하고 있는 이유는 나에게 충격이라면 충격이어서 인상 깊게 남아 있기 때문이다.

개인적인 생각은 모성이란 선천적이든 후천적이든 자식을 사랑하는 마음이 있다면 다 똑같은 모성이라고 생각한다. 다만 모성이 무조건적인 희생이라고 생각하는 것은 경계해야 할 부분이라고 본다.

소설로 돌아가서 어머니의 고백과 딸의 독백이 번갈아 나오는데 미묘하게 시선이 어긋나 있고 아예 다른 기억으로 긴장감과 반전을 주기도 한다. 그 가운데 누구를 믿을 것인지는 독자의 몫이다.

나의 경우 어머니의 고백이 크게 신뢰가 가지 않았던 건 어머니가 오로지 사랑받는 것, 인정받는 것에만 집중되어 있다고 생각했기 때문이다. 딸에 대한 사랑을 느낄 수 없었다. 오히려 딸이 엄마를 지켜야 한다는 생각을 하며 모성 아닌 모성을 보인다.

그리고 마지막에 나오는 사랑하는 어머니가 마지막 순간 딸이 아닌 손녀를 선택했던 걸 용서할 수 없었다는 히토미의 말에 격하게 공감했다. 앞부분에서 외할머니가 우리 보물이란 말을 했을 때 어머니가 '보물은 나일까? 딸일까?' 의문을 표하는 부분에서 딸을 질투한다는 걸 느꼈기 때문이다.

개인적으로 소설의 결말은 아쉬웠다. 극이 절정으로 치닫고 시간이 흘러 딸도 결혼한다. 그리고 딸이 엄마에게 가는 장면으로 끝을 맺는다. 마치 '공주와 왕자님은 행복하게 살았답니다'라는 식의 해피엔딩은 약간의 허무함이 느껴졌다.

이 소설은 모성이란 제목을 붙였고 '모성이란 본능일까?'라는 질문으로 시작한다. 그래서 소설의 전체적인 흐름이 그쪽으로 흐를 것 같지만, 진짜로 말하고 싶은 게 모성이었을까라는 생각도 들었다.

원했건 원치 않았건 어머니와 딸로 만났고 가족이 되었다. 그렇다면 한 인간으로서 가족에게 가져야 할 또는 느껴야 할 감정은 어떤 것일까?

어쩌면 전통과 문화가 가족에 대한 의무, 부모에 대한 의무, 자식에 대한 의무만을 강요하고 있는 건 아닐까?

가족은 화목해야 하고 서로 사랑해 줘야 하고 용서해야 하고 희생해야 한다는 그런 통념이 모성이란 무거운 굴레를 만들었는지도 모르겠다.

이 소설은 '모성이란 무엇인가?'란 질문으로 시작하고 '가족이란 무엇인가?'란 질문으로 끝났다는 생각이 들었다.

제5책

국군포로, 그들은 누구인가?

이혜민의 『아무도 데리러 오지 않았다』

미스터리 소설 같은 제목은 세상에서 가장 슬픈 제목이었다. 국군 포로라는 말을 들어본 적 있지만 크게 관심을 가지진 않았다. 부끄러운 고백이지만 나에겐 그저 이산가족과 비슷한 느낌 정도였다고나 할까.

책을 읽으며 '이분들이 없었다면 우린 어떻게 되었을까'라는 생각이 들었다. 원래 군인 출신도 아니고 하루아침에 군대에 가게 되어 전쟁을 치른 평범한 사람들이었다. 그분들의 희생이 오늘날의 대한민국을 있게 했지만, 존재를 인정받지 못하고 있다.

국군 포로가 되어 북에서 살다가 탈북해서 남한에 들어오기까지 겪었던 생생한 이야기들이 고스란히 적혀 있다. 언제까지 그분들의 목소리를 외면할 수는 없다. 귀 기울여야 한다.

이 책의 저자는 기자 출신이자 현재 출판사 대표이다. 일본 징용 피해자, 위안부, 군함도 피해자, 귀환 국군 포로를 취재했다. 2013년부터 6.25전쟁 귀환 국군 포로들을 취재하며 '한국전쟁 귀환 국군 포로 구술사 연구'라는 논문을 작성했다. 그리고 이들의 이야기를 책으로 내고 싶었지만 거절당하거나 출간되기까지 시간이 오래 걸리자, 출판사를 직접 만들었다.

남한의 국군 포로 집계는 6만~8만 명으로 추산하고 있다. 그중 다시 남한으로 돌아온 국군 포로는 80명 정도 된다. 이들은 나라에서 소환한 것이 아니라 탈북해서 남한으로 들어온 숫자다.

나라는 단 한 번도 국군 포로에 대해 북한에 요구하지 않았다. 아주 예전 국군 포로 가족들에게 전사자 통보를 하며 약간의 보상금을 주었다고 한다. 나라에서 외면한 그분들은 살아있음에도 죽은 사람이 되었다.

휴전 상태가 되었을 때 모두 남한에 갈 수 있다는 희망을 품었지만, 그들은 탄광으로 보내졌다. 포로라는 이유로 교육도 받을 수 없고 군인도 될 수 없고 당원도 될 수 없었다. 결혼하고 자식을 낳았지만, 자식들도 포로의 자식이란 이유로 아무것도 할 수 없었다.

후에 대통령이 회담을 위해 북한에 갔을 때 한 줄기 희망을 품었다고 한다. 하지만 그 희망은 절망으로 바뀌었다. 북한과 회담을 한 어떤 대통령도 국군 포로의 송환 이야기를 꺼내지 않았기 때문이다.

전쟁 당시 인민군에게 잡히는 것보다 중공군에게 잡히는 것이 다행이었다는 증언은 한결같다. 그도 그럴 것이 국제법에 따라 포로들도 군인들과 같은 대우를 받았기 때문이다. 중공군에게 잡히면 군인들과 같은 대우를 받고 인민군에게 잡히면 대부분 맞거나 굶거나 죽었다.

북한에서의 생활은 끔찍했다. 자식들의 원망에 못 이겨 자살한 사람도 있었다. 가장 힘든 곳에서 감시받으며 일했다. 이 부분에서는 일본으로 강제징용 당한 분들이 겹쳐 보이기도 했다.

정치에 대해 잘 모르지만 나는 항상 모두까기 버전으로 살고 있다. 보수든 진보든 다 깐다. 내 생각으로 옳은 건 옳다, 아닌 건 아니라고 말한다.

6.25 국군 포로, 일본 강제징용, 위안부, 천안함 피격사건 등 정치적 이념으로 바라보면 안 되는 일들이 있다. 그 사건 그대로를 봐야 한다. 국민들은 진실을 보고 정치인들은 문제 해결을 위해 노력해야 한다.

이 책을 읽으며 마음이 아팠다고 이야기하는 것조차 죄송스러웠다. 진실을 알게 되어 감사하고 살아주셔서 감사하고 고향 땅에서 죽자는 마음으로 목숨 걸고 남한으로 오신 것도 감사했다.

가장 마음에 남았던 말은 **'미국은 포로들 뼈까지 찾아서 가져간다'**라는 거였다. 대한민국도 아이 많이 낳자는 이야기만 하지 말고 한 사람의 생명을 소중히 여기는 나라였으면 한다.

국군 포로로 지금도 북한에서 모진 세월을 보내고 계실 그분들께 나라를 위해 싸워주셔서 감사드린다고 전하고 싶다.

제6책

주도적인 삶이란 어떤 삶일까?

손웅정의 『모든 것은 기본에서 시작된다』

손흥민 선수 다큐에서 그리고 몇 달 전 유퀴즈에서 그렇게 딱 두 번 티브이에서 봤다. 손흥민 아버지로 유명한 저자는 자신이 주인공이 되는 걸 극도로 꺼린다. 그런 저자가 책을 썼다는 건 놀라운 일이다. 알고 보니 코로나 때문이었다. 코로나로 보름씩 격리되는 생활이 반복되면서 아무것도 할 수 없는 상황에 글을 쓰게 됐다고 한다.

이 책을 읽으면서 기억에 남는 건 딱 세 가지다.
주도적인 삶. 행복. 나 자신.

손흥민 선수 이야기로 가득할 거라는 나의 편견을 깨고 본인의 어린 시절부터 지금까지의 삶과 철학과 신념을 정갈하게 정리한 책이었다. 저자가 반복해서 강조하고 또 강조하는 건 중요한 건 자신이라는 것이다.

저자가 아들을 위해 자기 삶을 희생한 것 같지만 전혀 그렇지 않았다. 저자는 아들을 위해 완벽에 가까울 만큼 최선을 다했지만, 끊임없이 질문을 던지며 자기 주도적인 삶을 살았다.

> 담박한 삶,
> 단순한 삶,
> 자유로운 삶,
> 이것이 제가 추구하는 행복한 삶입니다.
> -손웅정-

저자의 어린 시절 가난한 집에서 태어났기에 초등학교를 졸업하면 농사일을 도와야 했다. 하지만 우연히 축구를 하게 되면서 축구선수가 되기 위한 투쟁이 시작된다. 아버지와 담판을 지어야 했기 때문이다. 결국 허락을 받아냈고 축구부에 들어가게 된다.

저자의 별명은 '연습벌레, 숙소 귀신'이었다. 단체 운동 외에도 개인 운동을 철저히 했고 연습이 없는 날엔 충분한 휴식을 위해 숙소 밖을 나가지 않아서 붙은 별명이었다. 늦게 시작한 축구인만큼 남들보다 더 노력해야 한다고 생각한 것이다.

> 어려서부터 몸에 나쁜 건 먹지 않고
> 몸에 나쁜 일은 쳐다보지도 않았다.
> 축구를 위해 내 몸을 최적화하는 것이
> 그때 내가 해야 할 일이었다.
> 그뿐이었다. 본질에 집중하는 것.
> -p82-

저자의 중고등학교 시절 축구 인생은 순탄치 않았다. 그의 성격을 생각하면 그럴 수밖에 없었을 것 같다. 부조리함을 못 참고 자신의 가치관과 신념에 위배되는 것에 대항했기 때문이다. 그는 그 시절에도 이런 생각을 했다고 한다. '나는 돈보다 내 자유, 내

시간, 내 선택이 중요했다.' 감독과 선생들도 질려했다는 걸 보면 확실히 남들에게 끌려가는 삶을 살지 않았던 것 같다.

프로팀으로 가기까지도 참 많은 우여곡절이 있었다. 프로선수로 데뷔해 승승장구할 것 같았지만 아킬레스건 부상으로 수술대에 올랐다. 복귀했지만 예전 같지 않은 몸으로 더 이상 선수 생활은 무리라고 여겨 은퇴하게 된다. 그의 축구 인생은 끝난 것 같았다. 하지만 그건 끝이 아닌 새로운 시작이었다.

손흥민, 손흥윤 그의 두 아들이 축구를 시작하며 아버지로서 지도자로서 새로운 인생을 살게 된 것이다. 매일 혹독한 연습을 하며 비가 오나 눈이 오나 단 하루도 빠짐없이 기본기를 다졌다. 손흥민 선수는 중2가 돼서야 축구부에 들어갔다. 그전에는 아버지와 기본기 훈련에 매진했다.

여기서도 그의 축구 철학을 알 수 있다. 20대 중반까지는 기량으로만 축구를 할 수 있지만 20대 후반부터는 기량이 떨어지기 때문에 기본이 잘되어 있는 선수가 좋은 경기를 하고 생명도 길어진다고 한다.

저자가 기본을 강조하는 이유다.

현재 운영하고 있는 손 축구 아카데미에 오는 어린 친구들에게도 기본기만 가르치는데 볼을 차는 건 고등부가 돼서 가르친다고 한다. 아직 뼈가 여리기에 성인처럼 볼을 차면 몸이 망가지기 때문이다. 꽃을 피워야 할 20대 초반에 수술대에 오르거나 축구를 그만둬야 하는 상황을 안타깝게 여긴 것이다.

저자는 이 부분에 대해서 쓴소리를 마다하지 않는다. 누구를 위한 골인가, 누구를 위한 성적인가. 축구를 하는 아이들이 즐겁고 행복해야 하는데 오로지 성적에만 몰두하는 제도권을 비판하고 승패를 떠나 축구하는 게 행복했다면 그걸로 충분하다고 말하고 있다.

저자는 책을 많이 읽는 사람이다. 스스로 배운 것이 없다고 생각하기에 책을 읽고 배우고 노트에 쓰고 외운다. 일 년에 100권 정도 읽는다고 한다. 책이 생존의 도구라 말하며 삶의 고비마다 버팀목이 되어준 존재라고 말한다. 집에 불이 났을 때 가지고 나올 건 독서 노트 하나밖에 없다고 이야기할 정도다.

삶이라는 해전에서 책은 함선과도 같은 역할을 해준다.
배가 없으면 바다로 나갈 수 없듯
책이 없으면 삶을 헤쳐갈 수 없다. -p138-

책을 통해서 미래를 준비했을 때,
의외의 기회, 꼼수가 아닌 내가 노력한 만큼
기회를 잡을 수 있다. -p142-

책 내용 전체가 정말 좋았다. 문장이 깔끔하고 정갈한 느낌이었다. 저자의 성격 그대로 글이 써진 것 같다.

남을 의식하지 않고 자기의 길을 가는 뚝심과 돈과 성공에 매몰되지 않고 행복한가를 먼저 생각하는 마음이 나에게 감동을 주었다. 기본을 강조하는 이유 또한 명확해서 저절로 고개가 끄덕여졌다. 손흥민 선수 아버지가 아닌 손웅정 한 사람으로서의 삶이 치열하고 단단해서 존경스러웠다.

> 성공 안에서 길을 잃고 헤매지 말라.
> 그것이 곧 안주하는 거다.
> 그렇게 하기에는 아직 갈 길이 멀다.
> 성공을 먼저 생각하지 말고 내 성장을 생각하라.
>
> -p159-

한 사람의 인생을 보며 나의 인생을 돌아본다. 삶을 어떻게 살 것인가? 우리를 항상 따라다니는 질문이다. 이 질문에 대한 답을 찾는 길에 이 책이 함께 있어 좋았다.

part 6

새벽달곰

제1책

인생의 오후지만 괜찮아, 아직 최선을 다하지 않았으니

김혜남의 『만일 내가 인생을 다시 산다면』

이 책을 읽고 글을 쓰는 사람들은 어떤 제목을 붙일까? 난 아무리 생각해도, 어떤 내용으로 써도 이 책 제목보다 더 좋은 제목이 생각나지 않는다. 그래서 다른 이들의 글 제목이 궁금하다. 《만일 내가 인생을 다시 산다면》(김혜남, 메이븐)이 멋있고, 어떤 내용이 와도 다 어울려 이 제목에서 못 나오고 있다. 그래서 다짐을 제목으로 한다.

난 이렇게 제목에 흠뻑 빠졌지만, 《만일 내가 인생을 다시 산다면》 - '벌써 마흔이 된 당신에게 해 주고 싶은 말들 42' 제목과 부제만 봐도 어떤 내용인지 알겠다고 시시해, 할 사람도 있을 것이다. 예전의 내가 그랬다. '정신분석 전문의인 작가가 인생에 필요한 이야기를 하겠구나'라는 감이 오는 책들. 뻔해 보인다는 생각과 마흔이라는 숫자가 더해진 선호하지 않은 책이었다. 좋아하지 않았는데, 그 나이를 지나가려니 자꾸 눈에 들어온 책이다.

> 만일 내가 인생을 다시 산다면
> 이번에는 용감히 더 많은 실수를 저지르리라.
> 느긋하고 유연하게 살리라
> 그리고 더 바보처럼 살리라
> 매사를 심각하게 생각하지 않을 것이며
> 더 많은 기회를 붙잡으리라
> 더 많은 산을 오르고, 더 많은 강을 헤엄치리라.
> 아이스크림은 더 많이 그리고 콩은 더 조금 먹으리라.
> 어쩌면 실제로 더 많은 문제가 있을 수도 있겠지만
> 일어나지도 않을 걱정거리를 상상하지는 않으리라.
>
> -나딘 스테어의 시 '만일 내가 인생을 다시 산다면' 중에서

책의 속표지를 넘기면 바로 보이는 시이다. 난 이 시처럼 살았다. 최선을 다해 사는 것보다 책의 앞장의 그 시처럼 사는 것이 더 쉬웠기 때문이다. 무식하면 용감하다고 잘 모르니 바보 같은 실수 하고, 그러면서 몰랐다고 당당했다. 느긋함은 기본이고, 물에 술 탄 듯, 술에 물 탄 듯을 유연함으로 가장하고, 조금 손해 보더라도 얼굴 붉히는 것이 싫어서 바보처럼. 벗어나고 싶어서 기회가 되면 어디로든 나가면서, 강과 산이 있던 지리적 특성에 학생 때도 산악회 활동을 하며 산에서 강에서 지냈다. 콩보다 아이스크림 많이 먹고, 걱정한다고 달라지지 않으니 하루하루 보내며 '인생 별거 없다.'라는 생각으로 살았다. 가진 것이 없어서 꿈도 크지 않았던 그때, '자족하기'라며 내 마음을 감추며, 정신 승리로 버틴 시기였다.

그래서 그런지 아주 열심히 산 기억이 없다. 책에 나오는 열일곱 소녀처럼 왜 사는지도 모르겠고, 어차피 다 죽는데 무엇을 위해 열심히 살아야 했는지 몰랐다. 그래서 그냥 그때그때 눈앞의 즐거움만 쫓았다. 학생 때는 친구와 우정을 쌓기 위해, 직장 다닐 때는 좋은 나이에 자유가 있으니, 그때그때의 재미있는 일을 했다. 그래도 그사이에 아주는 아니고 조금 열심히 살았던 적도 있다. "아~, 나도 그때는~" 그러면서 자신 있게 말할 수 있는 그런 때가 있기는 있었다. 하지만 그 짧은 기간을 빼면 대부분 '더 열심히 살 것을…' 이러면서 아쉬움이 남는 시기가 대부분이다. 그래서 토론 중에 나온 '만일 내가 인생을 다시 산다면' 질문에 더 열심히 살고 싶다고 대답했다. 이렇게 열심히 살지 않은 나라서 이런 책은 부담스러워 피했는지도 모른다.

열심히, 최선을 다해 살지 않은 나를, 책의 저자들이 '팩트'라고 적힌 채찍으로 때리는 느낌이라 이런 책들은 선호하지 않는다며 모른 척했다. 하지만 나이가 마흔이 넘어 중반이 되니 자연스럽게 눈과 손이 마흔의 책, 《만일 내가 인생을 다시 산다면》와 《김미경의 마흔 수업》을 찾았다. 30년 동안 정신분석 전문의로 일하고, 22년 전 마흔세 살에 파킨슨병을 진단받은 김혜남 저자가 해주는 이야기는 생각보다 따뜻하고 구체적인 위로라 많은 문장에 줄을 치며 오래 마음에 담았다. '마흔이 된 당신에게 해 주고 싶은 말 42'가 부제라니 다시 생각해도 참 좋은 제목이다. 책은 크게 5가지 Chapter로 나뉘어져 있고 안에 작은 말들이 담긴 형식이다.

30년 동안 정신분석 전문의로 일하며 깨달은 인생의 비밀 / 환자들에게 미처 하지 못한, 꼭 해 주고 싶은 이야기 / 내가 병을 앓으면서도 유쾌하게 살 수 있는 이유 / 마흔 살에 알았더라면 더 좋았을 것들 / '만일 내가 인생을 다시 산다면'의 큰 제목에 맞춰 8~9가지의 저자가 해주고 싶은 말들이 있다. 줄거리가 이어지지 않고, 장마다 주제에 맞는 이야기가 있으니 읽고 싶은 제목에 맞춰 부분부분 읽으며 마음을 충전할 수 있으니 부담 없고 좋았다. 그런데 다섯 개의 챕터 안에 모두 43개의 소제목이 있는데 왜 '마흔이 된 당신에게 해 주고 싶은 말 42'인지 궁금하다.

저자가 해주고 싶은 말들이 담긴 책이니 줄거리, 소감보다는 좋았던 3가지로 정리를 해본다.

달곰 pick 1. 제발 모든 것을 '상처'라고 말하지 말 것.

(Chapter 2. 환자들에게 미처 하지 못한, 꼭 해 주고 싶은 이야기)

그런데 아주 사소한 일까지 모두 상처라고 말하면 우리 삶은 문제 덩어리가 돼버린다. 왜냐하면, 상처를 입었다는 것은 누가 나에게 어떤 위해를 가했다는 뜻이 되기 때문이다. 즉 상대방을 가해자로, 나를 피해자로 만들어 버린다. 그것은 일어나서는 안 될 일이 일어난 것이고, 정신적 치료가 필요한 일이 돼버린다. 내가 조금만 노력하면 고치고 해결할 수 있는 일들이 내 힘으론 해결 불가능한 문제로 변해 버리는 것이다.
(……)누군가에게 문자 메시지를 보냈는데 답장이 금방 안 온다는 이유만으로 냉큼 상처 입었다고 말하는 것은 나쁜 습관일 뿐이다.
(…)그러니 스쳐 지나가고 그냥 넘어갈 일까지 굳이 상처라고 말하여 인생을 복잡하게 만들지 않았으면 좋겠다. 상처와 상처가 아닌 것을 구분 짓는 것, 그것은 어쩌면 상처로부터 자유로워지기 위한 첫걸음인지도 모른다. -p99~100

예전에 토론하다가 '상처 주고' 뭐 이런 말이 나온 적이 있었다. 그때 한 회원님께서 상처는 주는 것이 아니라 받는 것이라고 말씀하셨는데 그게 마음에 참 오래 남았다. 다른 이야기가 오가는 중이라 그 말을 더 듣고 싶었는데 그러지 못하고 '어?! 진짜 그러네. 상처는 주는 것이 아니라 받는 것이네.'라며 넘어갔다. 그러다 이 책을 보니 그 말이 다시 다가왔다. 나의 언어를 돌아보니 "OO이 상처 줬어." 뭐 이런 말을 종종 했던 기억이 있다. 그 말을 듣고 생각하니 그 사람은 나에게 상처가 되라고 한 말은 아니었을 것이다. 내가 받았을 뿐이다. 그렇게 설명은 못 하고 마음에 담겨있던 말을 책에서 만나 편하게 정리할 수 있었다. 머리로는 알겠지만, 말로는 표현이 안 되어 물음표와 함께 떠다니다 해결되는 순간이었다. 그냥 오가는 말들에서 가해자, 피해자, 치료가 필요한 일이 돼버리다니 당장 버리고 싶은 말이 되었다.

누군가 나처럼 '상처 주지 마'라고 말하면 이 부분을 조용히 내밀며 말하고 싶다.
"나쁜 언어 습관입니다. 우리 함께 버리고 자유를 찾아요."라고.

달곰 pick 2 어떤 순간에도 나는 나를 믿을 것이다.
(Chapter 5. 만일 내가 인생을 다시 산다면)

> 부끄러워서 가리고만 싶었던 흉터들. 그러나 지금 나는 내 흉터 하나하나를 사랑한다. 상처를 입고 그것이 회복되어 흉터로 남고, 다시 상처를 입고 그것이 아물어

> 또 다른 흉터가 되는 동안 나는 더욱 성장하면서 인생을 배웠다. (…)왜 상처는 벌써 아물었는데도 그 흔적 때문에 괴로워해야 하는가. (…)
> 당신도 마찬가지다. 상처는 쓰라렸지만, 상처를 이겨내는 과정은 힘들었지만 어쨌든 당신은 그것을 이겨냈다. 흉터가 바로 그 증거이다. 흉터야말로 당신이 그만큼 용감했고, 강인했음을 말해 주는 삶의 훈장인 것이다. 그러므로 큰 상처에도 불구하고 씩씩하게 살아남은 당신 자신을 칭찬해 주었으면 좋겠다. -p264

그래, 이겨냈다. 이 부분을 읽고 나의 흉터를 찾아보았다. 우선 왼손에 두 개, 연필심과 강아지의 이빨 자국. 정말 오래된 기억이지만, 흉터가 가진 이야기는 기억난다. 무릎의 흉터는 너무 많아 기억이 다 나지는 않지만, 숨바꼭질, 무궁화 꽃이 피었습니다, 등등 놀다가 넘어진 상처이다. 치마를 입던 시절에는 깨끗하지 않은 무릎이 조금 창피했는데, 지금 보니 나도 이렇게 뛰어놀던 어린 시절이 있었다는 생각에 가슴이 펴진다. 그래, 나도 용감한 어린이 시절이 있었어. 그리고 말 못 할 흉터도 만져본다. 살아남은 건 아니라도 씩씩하게 잘 이겨내고 살아왔다는 생각에 잠시 울컥했다. '그래, 그런 시절이 있었는데…

지금 난 정말 행복한 거야.'라며 나비 자세로 날 안아주기까지 했다.

잊고 있던 단어 그대로 흉이 되는 흉터라고 생각했다. 여자애가 칠칠치 못해서, 겁이 없어서, 미련해서, 그렇게 생긴 흉터라 생각했는데 지나간 나의 과거가 보이니 잘해왔다는 디딤돌로 보인다. 이 흉터를 밟고 이렇게 지금의 나를 만났다는 생각이 들었다. 늦었다고 생각한 인생이었는데 더 갈 수 있다는 생각이 든 고마운 문장이었다.
흉터가 있어서 올 수 있겠구나, 나 잘하고 있었구나. 나를 믿으며 다시 기운 내 본다.

달곰 pick 3 나이 듦을 받아들이는 태도.

(Chapter 4. 마흔 살에 알았더라면 더 좋았을 것들)

마흔 살이 되어도 아직 살아야 할 날이 60년이나 남아있다. 그러니깐 뭘 새로 시작하려니 늦은 것 같고, 그렇다고 안 하려니 시간이 너무 많이 남아 있는 것 같은, 그것이 바로 마흔인 것이다.
게다가 사진은 예나 지금이나 똑같은데, 마음속에는 젊은 시절의 열정이 그대로 살아있고 앞으로도 많은 일을 할 수 있을 것 같은데 몸이 자꾸만 아니라는 신호를 건넨다. 흰머리와 잔주름, 떨어진 체력, 노안 등등이 마흔의 마를 한꺼번에 덮쳐 오는 것이다. -p178

마흔 살, 마흔이 되면 정말 큰일이 나는 줄 알았다. 주위에서 몸이 크게 아팠다고, 감기도 쉽게 지나가지를 않는다며 그렇게 몸과 마음의 쇠약함을 느낀다고 하니 걱정이 되었다. 그런데 생각보다 아프지는 않았다. 아이 키우냐고 내가 마흔인 것도 잊었다. 내 나이를 말하기보다는 아이들 학년을 말하는 시기였기에 잊고 있던 나이였다. 그리고 몇 년이 더 지나니 이제 알겠다. 마흔의 의미를. 아이들과 함께 다니지 않으니 아이 학년이 아닌 내 나이를 말하게 되는 순간이 오니 나이가 실감하였다.

'뭐 했다고 벌써 이 나이지?' '이제 뭐 하지?' '그런데 뭘 할 수 있지?' 걱정되기 시작했다. 사실 그것도 처음에는 몰랐다. 나는 그대로인데 주변이 바뀌니 당황스러웠다. 내가 도움이 필요하던 아이들은 이젠 날 도와주고, 내가 가는 술집 위치도, 사장님도 그대로인데 주변을 보니 많은 것이 달라졌다. 같이 어울리던 사람들도 이제 다른 것을 찾아 떠나니 모임에 나가도 빈자리가 눈에 띄었다. 어느 순간 주위 모든 것이 '당신은 이 자리에 어울리지 않습니다.'라며 날 밀어내는 기분이었다. 아직 난 트로트보다 아이돌 그룹의 노래가 더 좋고, 아직 새벽까지 놀 수 있고, 급식체라 불리는 아이들 말도 다 아는데, 그건 내 마음만이었다. 그렇게 난 어디로 가나? 걱정이 드는 순간이 왔다. 몸도 아픈 것을 넘어 망가진 느낌이 들었다. 아프고 불편해서 병원에 가면 노화에 따른 병명 들이 나에게 붙었다.

책에 있는 정신분석가 융의 '마흔이 되면 마음에 지진이 일어난다.' 그 말이 맞았다. 마음에 지진이 나는 시기라 그런지 마흔을 위한 책이 눈에 들어왔다. 그렇게 책에서 마음의 평화와 길을 찾고 싶었다. 마음의 평화는 찾을 수 있는데 이 책에서는 길을 찾기가 조금 어렵다. 책에서는 나이 듦으로 인한 상실을 받아들이는 마음가짐에 관해 이야기하고 있어 뭔가가 아쉽고 부족하다. 조금 더 적극적으로 마흔의 고민을 해결하고 싶으면 《김미경의 마흔 수업》과 함께 읽기를 추천한다. 마흔에 내가 할 수 있는 일이 많고, 해야 한다는 생각에 절로 머리에 결심을 쓴 수건을 두르고, 신발 끈 묶으며 집 밖으로 나가고 싫어지는 책이니 마음과 행동 다 챙길 수 있다.

《만일 내가 인생을 다시 산다면》을 읽으며 '잘 살아왔어.' '잘살고 있어.' '잘할 거야.'라며 스스로 토닥토닥 마음을 위로하며 채운 후 《김미경의 마흔 수업》으로 재정비, 새로운 인생 2부를 그려보았다. 마음에 지진 나는 그 시기를 함께 이겨내기를 바라는 마음에 같은 고민을 하고 있을 친구들과 함께 읽고 싶은 책이다.

제2책

쓰지 않는 편을 택하겠습니다

허먼 멜빌의 『필경사 바틀비』

"*안 하는 편을 택하겠습니다.*"

《필경사 바틀비》(허먼 멜빌, 문학동네)을 읽고 오랫동안 마음에 남은 문장이다. 소심한 내가 못해본 말이라 읽는 동안 따라 읽으며 작은 해방감을 느꼈다. 분위기 망치기 싫어서, 나의 진심과는 반대로 '의견에 따를게요.'라며 대세를 따르고, 정 싫으면 못 봤다며 투표를 하지 않는 것으로 의사 표현을 하는 나라서 그 말이 멋있어 보였다. 멋있는 걸 넘어 꼭 써보고 싶었다. 밖에서는 못 쓰는 집에서 '깨우지 않는 편을 택하겠습니다.', '용돈을 주지 않는 것을 택하겠습니다.', '밥은 주지 않는 편을 택하겠습니다.'라며 행동과 다른 이 말을 계속할 정도로 난 주인공의 말에 빠져있었다.

이렇게 주인공의 말만 따라 해도 기분이 좋아지는 《필경사 바틀비》는 에드거 앨런 포, 너대니얼 호손과 더불어 미국 문학의 '르네상스'를 이루었다고 평가받는 허먼 멜빌의 작품이다. 생전에는 데뷔 초기의 몇 년을 제외하면 대표작 《모비 딕》조차 초판 삼천부도 채 못 팔았을 만큼 평단과 독자에게 철저히 외면받았다. 현대에 와서는 인간과 인생에 대한 비극적 통찰을 한 상징주의 철학적 작가로 재평가되고 있다. 대표작으로는 《타이피》, 《피에르》, 《모비 딕》 등이 있다.

《필경사 바틀비》는 작가가 생계를 위해 새로 창간된 문예지 「퍼트넘스 먼슬리 매거진」에 헐값에 팔려고 쓴 글이다. 당시 미국 금융경제의 중심에 있던 스트리트를 배경으로, 타협적인 화자(변호사)와 비타협적인 주인공(바틀비)을 대비시키고, *"안 하는 편을 택하겠습니다"*라는 독특한 어구의 반복을 통해 이

짧은 글 안에 문학성과 사회성, 철학성을 폭넓게 담아냈다. 이 작품은 미국 고등학교 교과서에 수록되었을 뿐 아니라 전 세계에서 교양서로도 널리 읽히고 있다.

또한, 들뢰즈나 아감벤, 지젝, 네그리 같은 현대 철학자들은 바틀비의 소극적 저항과 *"안 하는 편을 택하겠습니다"*라는 표현을 실마리로 삼아 후기 근대 사회에 대한 새로운 담론을 길어 올리고 있다. 전 세계 중단편 가운데 수작으로 꼽히는 작품이다. 스페인 일러스트레이터 하비에르 사발라는 거친 붓 터치를 살린 현대적인 감성의 삽화로 이 책에 생기를 더했다는 문학동네 책 소개를 옮겨보았다.

날이 더우니 책 읽기라도 가볍게 하자는 마음에 단편을 골랐는데, 다들 정말 많은 준비를 해오셨다. 책 소개를 적은 이유가 저렇게 다각도 책을 읽고 정리해 오셔서 놀랐기 때문이다. 작가 연보, 옮긴 이의 말까지, 소설 밖의 배경 등과 함께 많은 이야기를 나눴다. 별점으로 이야기할 때부터 《필경사 바틀비》를 문학적, 사회적, 철학적, 세 가지로 나눠서 읽은 소감, 그 의미 분석, 자본주의에서 바틀비에 대한 이야기, 모비 딕이 잘 안된 작가 이야기, 구원하려고 온 바틀비 - 예수님의 형상으로 이야기까지 정말 다양한 이야기를 나눈 시간이었다. 이렇게 많은 부분에서 해석이 되니 오래 살아남아 고전이라 불리게 되었다는 걸 다시 느꼈다.

모두가 같은 출판사의 책을 읽지 않아 토론이 더 재미있었다. 나는 문학동네 출판으로 읽었고, 출판서별로 다른 표현으로 되어있었다. '그렇게 하지 않는 편을 선택하겠습니다.', '안 하는 편을 선택하겠습니다.', '그렇게 하지 않겠습니다.'의 원문 "I would prefer not to~"에 대해 이야기도 나누었다. 참고로 영어를 업으로 하셨던 분이 두 분이나 계셔서 선택의 단어 prefer의 단어로 선택의 의미, would의 의지에 관한 이야기까지 정말 풍성한 시간이었다. 이날 참석은 안 하셨지만, 스페인어 전공하신 분도 계셔서 토론 중에 어원, 언어 등 이야기할 때가 있는데, 그 시간이 참 재미있다.

책을 읽고 바틀비가 우리에게 의미하는 것, 변호사 사무실의 직원 이야기, 내가 변호사라면, 내가 바틀비라면, 바틀비의 '저는 특별하지 않아요.'의 의미,

바틀비 빼고 이름이 아닌 별명인 이유, 등 많은 이야기를 나눴다. 그리고 이렇게 많은 멋진 이야기를 나누었지만 바틀비의 "*안 하는 편을 택하겠습니다.*"라는 말이 제일 많이 남아 있었다. 그리고 그 말을 하고 싶어졌다. 집에서가 아니라 밖에서.

결국, 난 이 말을 했다. '쓰지 않는 편을 택하겠습니다.'라고.

요즘은 기록, 글쓰기가 중요해서인지 거의 모든 동아리가 한 해의 활동을 문집으로 남긴다. 나는 두서없이 그냥 키워드로 블로그나 다이어리에 간단하게 혹은 주절주절 기록은 한다. 하지만, 누군가와 함께 문집에 글을 내는 글을 쓰는 것은 아주 힘들다. (얼마나 힘드냐면 이 글도 꼴찌로 마무리하고 있고, 아직 다른 두 동아리는 시작도 못 했다.)쓰면 좋다는 것은 알지만, 특별한 동기, 이유가 없고, 익숙하지 않으니 안 하게 된다.

그래서 소신 있게 말했다. 왜 동아리의 끝이 문집이 되어야 하는지, 가볍게 달에 두 번 그림책으로 힐링하는 시간이었는데 글을 다 쓰라는 것은 부담이다. 우리의 활동이 기록으로 남기는 것은 좋지만, 이건 의무가 아니라 선택이었으면 좋겠다고 말은 했다. 결과는? 잘못했다고 빠른 사과를 했다. 다른 회원들의 반응에 자연스럽게 '미안해요.'라는 말이 절로 나왔다. 바틀비가 더 대단하게 느껴진 순간이었다. 그는 어떤 마음으로 그렇게 자기 삶의 끝도 그렇게 선택할 수 있었을까? 그는 정말 무엇이었을까?

바틀비의 선택과 함께 그 소극적인 저항을 받아내며 지켜보던 변호사도 많이 생각했다. 책에서는 '소극적인 저항처럼 열성적인 사람을 괴롭히는 것도 없다.'라고 했지만, 소극적 저항은 열성적이지 않은 사람도 미치게 한다. 아이 키우며 제일 답답할 때가 그 소극적 반항이었다. 차라리 안 한다고, 싫다고 땡깡(?)이라도 부리고, 화를 내거나, 말을 하면 어찌 답을 얻을 수 있다. 성질을 내면 왜 그러는지 알고 대응하거나, 타이르고, 회유하며 결론을 볼 수 있을 텐데…. 입 닫고, 귀 닫고, 눈 감으면 뭘 어떻게 할 수 없다. 그 답답함을 알기에 변호사에 대해서도 많은 생각을 하게 된다. 가족이니깐 어쩔 수 없이 기다리겠지만, 밖에서 만난 누군가가 나에게 그러면 난 과연 어떻게 할까? 난 변호사처럼 할 수 없다.

변호사의 마음도 알겠지만, 바틀비의 그 선택의 문장이 많이 남은 《필경사 바틀비》. 다양한 해석으로 독자에게 주는 여러 메시지가 있지만, 난 그중 선택, 소신이 많은 사람에게 전해졌으면 좋겠다. 바틀비의 희생(?)이 빛날 수 있도록 부당함에는 '아니요'라고 말할 수 있는 소신이. 갑, 고용주만이 선택하는 것이 아니라, 을, 고용인도 선택하고 아니라고 할 수 있는 사회, 그렇게 말해도 불이익이 없는 다양한 사회가 되었으면 좋겠다. 무턱대고 안 한다고 하면 안 되겠지만, 적어도 구성원을 믿고 자신의 목소리를 낼 수 있는 사회가 되었으면 좋겠다.

결론이 왜 이렇게 나냐고? 모든 독서는 오독(문학평론가 할리스 밀러)이라는 말, 작가의 말에 휘둘리지 않았으면 좋겠다는 작가의 말, 오독 또한 책 읽기의 즐거움이라는 말에 기대어 이렇게 정리한다. 책이 가지고 있는 메시지가 어렵거나 다양해서, 고전의 배경지식이 없어 어렵다고 피하지 않았으면 좋겠다. 이렇게 많은 메시지와 함께 '나만의 용기'를 만날 수 있던 《필경사 바틀비》였다.

제3책

책과 함께 떠나는 시간 여행

앤드류 포터의 『빛과 물질에 관한 이론』

사랑하고 싶나요? 연애 때의 떨림을 느끼고 싶은가요? 연애는 하고 싶지만, 여러 가지 상황에 그러지 못하나요? 그렇다면 이 책 《빛과 물질에 관한 이론》을 추천합니다. 블로그에 이리 적었다. 이 소설을 얼마나 두근두근 설레면서 읽었는지 알 수 있다.

제목만 보면 물리학, 과학 서적이라는 생각에 이 책을 멀리 돌아갔을 것이다. 과학책 아니라고 재미있다고 추천을 받았어도 안 읽게 되는 제목이 장애물인 책이었다. 그러다 모임에서 토론을 하기로 한 책이라 읽었다. 첫 문장을 읽는 순간 "오~"하면서 반하게 되었다. 숙제처럼 표제작부터 읽었는데 그 첫 문장은 *'로버트가 마침내 내게 말을 걸어온 것은 가을 학기의 마지막 날이 되어서였다.'* 이상하게 이 '마침내'에 꽂혔다. 얼마나 기다린 거지? 왜 마침내일까? 그렇게 마침내 걸어온 말은 과연 무엇이었을까? 그렇게 몰입된 책이다.

마침내 말을 걸어온 로버트는 교수였다. 가정이 있는 아버지 나잇대의 남자. 헤더 역시 결혼까지 생각하는 의대생 콜린이 있었다. 둘의 사이가 나에게 애틋하게 보일수록 가시밭길, 지옥 불이 그 둘 앞에 있다는 생각에 같이 마음이 아팠다. 머리로는 안 되는 사이인데, 읽으면 읽을수록 빠지게 된다. 제목도, 소재도 좋아할 만한 이유가 하나도 없는 책인데 거부할 수 없는 매력으로 빠지게 된다. 문장의 힘인 것 같기도 하다.

제목만 보면 물리학 이론서 같지만, 놀랍게도 사랑 이야기인 《빛과 물질에 관한 이론》은 앤드류 포터 작가의 단편집이자 데뷔작이다. 책에도 있듯이 엄청

많은 상을 받은 유명한 작품이지만 우리나라에서는 2011년 출간되었지만 절판되었다가 다시 재출간된 책이다. 책의 처음은 <구멍>이고 총 10편의 소설이 묶여있다. 표제작인 <빛과 물질에 관한 이론> 네 번째 있는 소설이다. 모임에서는 <구멍>과 <빛과 물질에 관함 이론>에 대해 주로 이야기했다. 짧은 단편이지만, 함께 나눌 이야기가 정말 많았다.

<구멍>은 어린 시절 '구멍'에서 친구를 잃은 주인공의 이야기다.

> '그 구멍은 탈 워커네 집 차고로 이어지는 진입로 끄트머리에 있었다. 지금은 포장이 되어 있지만, 십이 년 전 여름, 탈은 그 구멍 속으로 들어가 다시는 올라오지 못했다.' -p7

소설을 읽을 때 말 잘 듣는 독자라, 화자의 입장에서 읽는 편이다. 그러기에 어린 시절의 주인공에게 "네 잘못이 아니야." 등 해주고 싶은 말이 많다가도, 친구 형의 입장이 되어 나 역시 이러지도 저러지도 못한 채 읽었다. 구멍에 빠진 적은 없지만 나올 수도 없는 주인공, 그날의 진실이라는 구멍에서 나오고 싶어도 나오지 못하는 형과 함께 갇힌 느낌이었다.

그 답답함을 등장인물에 관한 이런저런 이야기를 나누며 해결할 수 있었다. 같이 읽기의 힘이다.

<빛과 물질에 관한 이론>은 제목부터 할 이야기가 많다. 이렇게 재미있는 소설의 제목이 왜 <빛과 물질에 관한 이론>일까? 괜히 있는 제목이 아닐 거라는 생각에 누가 빛이고 누가 물질인지 생각해 보았다. 빛은 내가 어디에 있건 창, 유리 등만 있다면 나에게 다가올 수 있지만, 날 채워주지는 못한다. 물질은 보이고 만져지는 실체가 있어 채워주지만, 날 빛나게, 따뜻하게 해주지는 못한다. 그런 의미에서 빛은 로버트고 콜린은 물질일까? 아홉 글자의 제목만으로도 많은 이야기 가능하다.

> 그러더니 슬픈 표정으로 나를 보며 말했다.
> “당신이 언젠가 이것 때문에 나를 미워하게 될까 봐 두려워요. 헤더.”
> “무엇 때문이에요?”
> “이런 만남.” 그가 말했다. “당신이 언젠가 이런 만남을 되돌아보며 나를 미워하게 될까 봐 두려워요.”
> 나는 그를 보았다. “내가 두려운 게 뭔지 알아요. 로버트?” 나는 그의 손을 만지며 말했다. “나는 내가 당신을 미워하지 않게 될까 봐 두려워요.” -p108

표제작 <빛과 물질에 관한 이론>의 한 부분이다. 드라마로 이 장면을 보면 어땠을까? 대사만 보면 옆 사람 허벅지를 때리며, "어떡해.. 어머~". "아~ 두렵대" 이러면서 호들갑을 떨 장면이고, 노교수와 학생의 모습으로 연기하는 배우를 보면 '뭐래~ 미쳤나 봐.'라며 채널을 돌릴지도 모른다. 문장으로 곱씹으면 슬픈 장면이었다. 안되는 것을 서로 아는 이 분위기. 헤더와 로버트의 그 사이를 긍정적으로 보는 그 자체가 공범처럼 느껴지지만, 그 분위기에 빠질 수밖에 없는 무언가가 있다. 괜히 떨리는 마음에 지옥 불, 사약 길이 펼쳐지고, 사회적으로 지탄의 대상이 되는 그들을, 나라도 편들어 주고 싶다는 생각도 한다. 같은 부분인데 읽을 때마다 다른 감정이 생긴다. 한 문단이 이렇게 많은 감정을 느낄 수 있다니 놀랍다.

나의 죄의식은 우리가 우리의 연인들에게 이런 비밀들을, 이런 진실들을 말하는 이유다. 이것은 결국 이기적인 행동이며, 그 이면에는 우리가 옳은 일을 하고 있다는, 진실을 밝히는 것이 어떻게든 일말의 죄의식을 덜어줄 수 있으리라는 추정이 숨어 있다. 그러나 그렇지 않다. 죄의식은 자초하여 입는 모든 상처가 그러하듯 언제까지나 영원하며, 행동 그 자체만큼 생생해진다. 그것을 밝히는 행위로 인해, 그것은 다만 모든 이들의 상처가 될 뿐이다. 하여 나는 그에게 말하지 않았다. 한 번도 말하지 않았다. 그 역시 내게 그러했을 것임을 알기 때문이다. -p126

이 부분도 그렇다. 읽을 때는 '그래~ 말하지 마. 콜린이 괴로워하잖아~'라며 진실을 밝히는 것이 죄의식에서 나오고 싶은 이기적인 행동에 어느 정도 공감을 하지만, 상대방 콜린의 이야기를 보고 들은 적이 없으니 그 마음에 동의는 못 한다. 결국, 본인 편하려고 한 것은 아닌지, 그건 그냥 '헤더 당신의 착각이야.' 이러면서 콜린의 다른 연인, 비밀을 만들기도 한다. 그렇게 많은 이야기를 만들어 내는 부분이다. 아무래도 일인칭 헤더 시점으로 이야기하니 콜린과 로버트의 입장이 듣고 싶어진다.

단편집의 첫 이야기인 <구멍>과 표제작만 이야기했지만, <폭풍>, <아술> 등도 모두 재미있다. 개인적으로 이 책은 혼자 읽는 것보다 같이 읽고 나눌 때 더 재미있다. 같은 문장이지만 읽는 사람에 따른 해석의 묘미가 있다. 나는 모르고 지나친 문장이 누군가의 한 줄이 되었을 때 그 분위기가 달라진다. 내가 놓친 문장을 누군가가 발견해 주는 재미가 있다. 사람 이야기, 사랑 이야기가 가득한 책이니 옳고 그름, 도덕적인 잣대로 주인공을 평가하는 마음만 버린다면 꽤 괜찮은 문학 여행을 떠날 수 있다. 어린 시절로 가기도 하고, 사랑에 빠지기도, 이별도 하고, 가족, 추억을 만날 수도 있다. 그렇게 지루한 일상에서 타인의 강렬한 삶을 느껴보고 싶다면 이 책을 추천하고 싶다. 펼친 그 페이지가 나의 여행지이고, 빠지는 데 5분이 걸리지 않는 문학 여행을 적극 추천한다.

제4책

효도는 셀프, 자기의 일은 스스로 하자

미나토 가나에의 『모성』

"내 패션의 완성은 너야."

발목까지 오는 보는 고무줄 치마, 가슴 쪽에 지퍼가 달린 넉넉한 상의, 선크림도 바르지 않은 얼굴, 하나로 묶은 머리. 외출 준비가 끝났다. 아기 띠를 하고 아이를 안으며 했던 말, "내 패션의 완성은 우리 사랑이지." 나와 다르게 아가는 모자부터 양말까지 고운 색으로, 세트의 옷을 입었다.

아무리 추레하게 입어도 아기 띠에 아이가 있으면

그 모습으로 어디건 갈 수 있었다. 아마 그 시절 누군가가 나에게 모성이 본능인지 학습인지 물어보았다면 '본능'이라 답했을 것이다. 누가 딱히 가르쳐 준 기억은 없는데 아이를 위한 희생(나에게는 조금 부끄러운 단어지만)이 당연하다고 생각했다. 잠들면 누가 업어가도 모른다는 소리를 들었지만, 엄마가 되고 나서는 아이의 꿈틀거림에는 민감했다. 그렇게 자연스럽게 엄마로 변한 나를 보니, 열 달 동안 아이와 함께 모성의 씨도 본능적으로 같이 자란다고 생각했다.

지금은 믿기 어렵지만, 직장 다닐 때 아파트 경비 아저씨가 이 동네에서 내가 제일 멋쟁이라며, 마주치며 기분 좋은 인사를 해주셨다. 그 정도로 옷 사고, 꾸미는 것도 좋아한 나였는데 아이가 생기니 나에게 쓰는 모든 것은 의미가 없었다. '난 살 빼고 사면 되지.'라며 아이에게만 돈을 썼다. 예쁜 옷을 입히고 좋은 것을 먹이기 위해 노력했다. 지금은 후회한다. 1년 뒤면 못 입을 옷을 왜 샀는지, 먹지 말라는 탕후루를 계속 사 먹는데, 뭐 하러 유기농을 챙겨 먹였는지 알 수 없다. 아기가 청소년이 된 상황이라 그런가? 이번 토론에 나온 모성은 무엇이라 생각하냐는 질문에 모성은 학습에 더 가깝다고 대답했다. 언제부터인가 내가 나의 최선은 최선은 아니었다. 배워야 좋은 엄마가 되었다.

본능도 있겠지만, 책의 뒤표지의 '아이는 그냥 낳을 수 있으니까요.' 말처럼 낳는다고 모성이 생기는 것이 아니라고 생각한다. 아가일 때도 배고플 때, 졸릴 때, 불편할 때 울음소리가 조금씩 다르다. 그걸 알아채는 모습이 본능적으로 안 것 같지만, 그건 아이를 관찰하며 서로 알아가는 과정이었기에 본능이라고만 할 수 없다. 아이가 자랄수록 내가 받은 만큼, 배운 만큼 아이를 키울 수 있다. 아가였다가 어린이였다가 청소년으로 성장에 맞춰 아이에게 지금 필요한 것이 무엇인지 알아야 진정한 엄마가 될 수 있다는 생각이 책을 보면서 더 확고해졌다. 주인공 루미코는 그 어머니에게 많은 것을 받았지만, 딸의 입장에서 딸을 생각하며 행동하지 않았기에 그녀의 엄마만큼 좋은 엄마가 아니었다는 생각에 모성은 학습이 더 크다고 생각했다.

아이가 커서 잊고 있던 모성에 대해 잊고 있던 생각을 하게 한 《모성》(미나토 가나에, 김진환 옮김,

리드리드출판, 2023)은 작가가 '모성은 본능인가?' 라는 파격적 질문을 내며 2013년에 일본에서 발표된 작품이다. 100만 부가 넘게 팔렸고, 2022년 인기 배우가 주연으로 영화와 할 정도로 화제를 모은 작품이다. 넷플릭스에도 있으니, 책을 보신 분은 영화도 함께 보기를 추천한다. 특히나 넷플릭스 다른 시리즈에서 본 주인공으로 영화에 나오니 더 반갑고 친근하게 느껴졌다.

개인적으로 책이 영화가 되면 실망했던 적이 많았다. 그래서 책을 보고 영화를 보는 경우 만족한 적이 없는데 이 영화는 보기를 잘했다는 생각이 들었다. 지극히 개인적으로 혼자 그려놓은 인물이 영상에는 조금 달라 아쉬운 점이 있었지만, 그래도 영화를 보니 책이 더 잘 이해되며 선명해진 느낌이라 좋았다. 책과 영화가 서로의 이야기를 채워주는 느낌이라 함께 보기를 추천한다. 원작에 충실했고, 행복까지는 아니더라도 모두가 잘 살아있어 비로소 완성된 느낌이었다. 모성에 대해 이리저리 고민이 되던 부분도 좁혀지며 '모성'에 대해 엄마와 딸, 결혼, 여성에 대해 생각이 분명해지는 느낌이다.

책은 7장의 소제목에 <모성에 관하여>, <어머니의 고백>, <딸의 독백> 이런 구성으로 되어있다. 영화를 보니 책을 너무 엄마 입장에서 읽었다고 생각했다. 난 그렇게 못하기에 그 엄마를 선망의 대상으로 딸보다는 엄마의 편에 조금 더 가까웠다. <어머니의 독백>의 어머니가 조금은 이상했지만, 그래도 이해는 갔다. 난 그렇지 못하기에 장점이 더 많이 보였다. 그 어머니에게 내가 가지는 감정은 좋은 사람, 안쓰러운 사람이었다. 사랑받았으면 좋겠고 이제 행복해졌으면 하는 그런 사람. 영화로 보니 책으로는 느끼지 못했던 싸늘한, 그 차가운 분위기를 배우의 표정을 통해 접하니 딸의 독백이 다시 보였다. '애지중지 모든 것을 바쳐서 사랑한', '최선을 다해 사랑한' 엄마라는 편견에 보고도 못 본 척, 놓친 부분이 많았다.

책과 영화가 하나처럼 합쳐져 어느 부분으로 정리해야 할지 모르겠다. 꿈같은 집에서 사고가 났을 때 *'나를 낳아준 사람을 구할 것인가, 아니면 내가 낳은 사람을 구할 것인가?'*(p80)를 시작으로 '나는 엄마가 되고 싶을까? 딸이 되고 싶을까? 내 아이에게 난 어떤 엄마일까? 임신 축하 인사로 그 표현은 나만 이상한지? 자식의 잘못은 정말 부모의 잘못인지, 왜 받은 만큼, 바라는 만큼 줄 수 없는지' 이런 생각이 영화를 보며 든 생각인지 책을 보며 든 생각인지 알 수 없을 정도로 책과 영화가 하나같다.

<어머니의 독백>의 주인공 어머니를 비난할 마음이 없다. 조금 이상한, 인정 욕구에 광기가 있어 보이지만, 좋은 부모님을 만났고, 엄마의 큰 사랑에 본인이 행복했고 서로 아끼며 사랑했다. 엄마와 딸이 서로 비슷한 성향, 기질이 맞아 사랑받으며 잘 자랐다. 엄마가 좋아하는 사람이었다고 결혼까지 결심하는 모습이 엄마의 인형으로 산 것처럼 보이지만, 본인 스스로 불만이 없고 충분한 사랑을 받았기에 자기애도 높고, 예의, 교양 등 좋은 말로 할 수 있는 여러 가지가 다 있었으니 독립적이지 못한 의존적으로 보이는 건 나만의 생각일 수 있다. 사람마다 삶의 우선 수위가 다르듯, 루미코의 우선순위가 나와 다르다고 나쁘게는 안 본다.

스스로가 어머니와의 시간을 행복해했고, 사랑하는 어머니와의 마지막 순간이 그러하니 그녀의 그 깊은 상처도 이해한다. 그 상처를 함께 이겨낼 사람이 없

고, 상처를 드러내지도 숨기지도 못한 채 살아가는 그 마음이 어땠을까? 난 짐작도 못 할 순간을 가지고 살아가는 그녀가 갖는 여러 감정을 다 존중한다.

하지만 엄마를 기쁘게 해드리고 싶다는 생각에, 작은 것 하나하나 딸에게 강요하는 모습, 대화가 안 되는 시어머니에게 인정받고 싶은 마음에 딸의 희생을 모르며, 딸에게 자신과 같기를 바라는 모습을 보니 '효도는 셀프!'라는 말이 생각났다. 겁쟁이인 아버지 사토시를 봐도 그렇다. 사토시는 부모에게 갖는 마음이 무엇인지는 모르겠지만, 그 역시 남편, 아버지의 자리에 아내와 딸을 위해 아무것도 안 했다. 한 집안의 가장인데, 가장다운 모습을 보이지 않는다. 답답한 인물이다. 아내가 자신의 본가에서, 집안일과 농사일을 다 하며 결혼한 동생의 가족들에게 시달리는데도 그는 아무것도 안 한다. 부당한 대우를 받고 있음에도 모른 척하는 남편이자, 딸이 엄마의 사랑을 갈구하는 것을 알면서도 자기 연민, 자기 후회에 빠져 모른 척한다. 게다가 대체 누가 누구를 못 버린다는 것인지.

아빠는 엄마에게 본인의 집안일을 미루고, 엄마는

딸이 시댁 식구의 마음에 드는 행동을 하길 바라며 그렇게 인정받으려 한다. 그러면서 정작 딸의 마음은 봐주지 않는다.

> 할머니는 릿짱이 가엾다고 울었지만 좋아하는 사람과 함께 있으면 즐거울 것 같았다. 나도 엄마와 함께 타코야끼를 구워 팔고 있는 모습을 상상해보았다. (……)그러면 몸도 마음도 따뜻해진다. -p146
>
> 내 단 한 가지 바람은 엄마가 날 상냥하게 어루만져 주는 것이었다. '열심히 노력했구나.'하고 머리를 쓰다듬어주길 바랐다. 그런 사랑을 받고 싶었다.
> '그러니까 엄마, 이 손을 놓지 말아줘!' -p147

기승전'엄마의 사랑'이다. 이렇게 엄마의 손길을 원하는데, 엄마는 외면한다. 볼 생각을 못 한다. 못 하는지 안 하는지도 의문이다. 본인은 엄마가 되어서도 어머니를 그렇게 계속 그리워하면서, 자신의 어린 딸에게는 왜 그러지 못하는지 알 수가 없다. 어머니를 잃은 딸로 성장을 멈춘 것 같은 엄마와 비겁한 아빠 사이에서 성장한 딸은 정말 기특하다. 엄마를 지키려는 모습이 너무 안쓰럽다. 이렇게 날 위해 고군분투하는 딸을 안아주며 마음은 알아주기가 뭐 그렇게 어렵다고.

이렇게 생각하면 할수록 딸이자 엄마인 내가 이 책을 정리하는 게 쉬우면서도 어렵다. 작가가 그만큼 다양한 성격의 어머니와 딸을 책에 담아두어 다양하게 생각하게 했다는 생각이 든다. 조금 극단적인 면도 있지만. 이렇게 경험치가 다른 삶을 살기에 다른 말을 넣어두고, 그저 '자기의 일은 스스로 하자'를 다짐한다.

당장 나부터 '난 스스로 하고 있나?' 돌아보니 아니었기 때문이다. 나 역시 나의 아이들로 인해 엄마나 시어머니가 기쁘기를 바라며 내가 할 전화를 남매가 하도록 했다. 좋은 행동, 예쁜 말을 엄마에게 하기를 원했고, 아이들이 잘 크고 있다며 엄마를 안심시키며 할머니들의 또 다른 행복이길 바랐다. 이게 이상하다고 생각한 적은 없었는데 책을 보며 뜨끔했다. 흔히 말하는 거울 치료가 되는 순간이었다. 여기서 과해지면 나도 그렇게 주인공처럼 되는 것은 아닌지 생각하니 무서워진다.

읽을 때는 다양한 어머니와 자식의 등장인물을 보며 나는 어디에 속하는지, 이 모녀는 어디에서 틀어진 것인지, 대체 그 화단에 투신한 아이는 어떻게 된 것인지, 등 흥미 위주로 재미있게 읽었는데 정리하니 이렇게 많이 달라졌다. 그만큼 엄마이지 딸이고, 할머니가 될 나는 극단적인 등장인물이 등장하는 소설이라고만 생각할 수 없다. 등장인물의 삶은 모습이 정도의 차이는 있겠지만, 나에게도 있으니.

이렇게 책을 통해 내 가족을 돌아본다. 딸과 나를 얼마나 분리하고 있는지, 최선을 다해 사랑하고 있는지, 그 사랑을 어떻게 전하고 있는지, 나, 스스로를 돌아본 책이었다. 그렇게 《모성》이라는 책을 '효도는 셀프, 자기의 일은 스스로'라고 정리하며 마무리한다.

에필로그

삶은 만남의 연속이다. 이런 만남 속에서 인연의 고리들이 얽히고설키는 것이다. 이런 인연 가운데 우리는 우리의 카르마를 연마해 가는 것 같다. 좋은 책과 만남이 새삼 중요하게 다가오는 것은 세상이 내 마음대로 될 수 없음을 인정하고 자신의 주어진 운명 속에서 스스로 이런 인연의 고리를 풀어 나가야 한다는 것을 깨닫게 되니 이제야 철이 들어가는 것 같다. 한 번의 만남으로 삶 자체가 달라지는 만남이라! 얼마나 멋진 만남인가! 이들을 통해 비로소 진정한 삶의 희로애락을 배우게 된다. 비노바 바베, 간디, 스콧 니어링, 헬렌 니어링, 허먼 멜빌, 새뮤얼 허팅턴 등 비록 그들과는 책을 통한 만남이었지만 몇 년을 직접 만나도 알 수 없는 요즘 만남보다 더 친밀하고 맛난 만남이었다.

(수연당 樹淵堂) 황선애

책을 읽고 책 안에서 조금씩 커나가는 나를 발견한다. 글로 표현하는 법을 조금씩 익히고 있다. 서툰 걸음마부터 시작해서 1년 동안 조금은 성장한 것 같다. 10년 후 얼마만큼 성장해 있을지 벌써부터 궁금하다. 어렵기도 하지만 꾹꾹 눌러 담는 하루하루의 글쓰기는 내 삶의 의미 찾기를 하는 것 같다. 삶을 관찰하게 되고, 삶에 애정을 느낀다.

한정은

책은 누군가의 세상이다. 생각 속에 갇혀 있는 세상을 진짜 세상으로 꺼내 놓고 사람들을 초대한다. 다양한 사람들에게 구경시켜 주고 삶의 의미를 찾아가게 말이다. 나는 그런 세상을 생각으로 즐기는 사람이고, 그 생각을 이야기 나누는 것을 행복해하는 사람이다. 그러다 보니 편협하게 책을 읽을 때도 있지만 내게 맞는 의미로 해석하는 데에 노하우가 생긴 듯하다. 누군가의 글로 인해 나의 세상을 만들어 가는 흥미진진함으로 서평의 세계에 발을 들여놓아 본다.

(사각사각 유자씨) 유지희

"혼자 달리는 말은 자신이 전속력으로 달린다고 상상하지만, 무리에 들어간 후에야 실제로 얼마나 느린지 깨닫게 된다." 7세기 무렵 수십 년을 은둔하며 수련하던 요한 클리마쿠스의 말이라고 합니다. 그는 혼자 있으면 자신이 엄청난 발전을 이뤘다고 확신하기 쉽다는 의미로 이렇게 이야기했는데요. 독서도 마찬가지더라고요. 책은 혼자 읽는 것처럼 보이지만 같이 해야 성장하는 거죠. 그래야 자신의 속도를 알 수 있기 때문입니다. 제가 독서 모임을 하는 이유입니다. 그렇게 우리를 성장하게 하는 '옥토끼 독서 모임'이 너무 좋습니다.

이석현

책 읽을 때의 침묵과 고독이 나를 평안하게 만든다. 아무도 없는 숲에서 나와 작가 둘이 앉아 낮은 톤으로 대화를 주고받는 듯한 느낌이랄까. 그때 나는 가장 자유로운 영혼이 된다. 글을 쓴다고 말하기에 민망한 글쓰기 실력이지만 책 속에서 헤매던 생각을 정리하고 싶어 책 리뷰를 시작했다. 책을 읽고 책 리뷰를 함으로써 나 자신을 성찰하고 나 자신으로써 살아가기 위해 노력하고 있다.

이경진

요 며칠 내 머릿속에 떠오르는 단어. '망나니'
사전적 의미로 깊이 생각하면 무서운 단어이지만,
찔리는 마음에 이 단어에서 벗어날 수 없다.
편집자님의 2차 피드백이 올라온 시기까지도 안 내고 이렇게 계속 쓰는 중. 멱살 잡고 끌어주고, 밀어주며, 믿어주는 회원님들 덕분에 조금씩 사람이 되고 있다는 생각에 무한 감사 인사드립니다. 포기하지 않고 함께 해주셔서 감사합니다.

새벽달곰